如父如子

そして父になる

湖南文艺出版社
HUNAN LITERATURE AND ART PUBLISHING HOUSE

博集天卷
CS-BOOKY

［日］是枝裕和 ［日］佐野晶——— 著　　丹勇———— 译

好好读书

そして〆になる

　　什么时候一个父亲能真正成为一个父亲呢？是从怎样的一刻起，一位父亲能够真正撑起"父亲"这个称号呢？

——是枝裕和

玩偶只有三个。孩子却有四个。

野野宫绿初次走进这里，紧张得全身僵硬。

这里是专为小学入学考试开办的补习学校。儿子庆多虽说年纪还小，但为了能在这门槛颇高的小学占上一席之地，早早开始出入补习学校绝对是"常识"。这可是熟人传授的经验。

绿家住在颇有名气的学区，住所附近也有很多"应试补习学校"，她从中选了一所口碑不错的，便带着庆多来实地体验入学考试。

　　面对来体验入学的绿和其他三位母亲，一位五十来岁的女性透露："像行动观察之类的测试可是小学入学考试的一大重点。"她穿着一件白得令人有些压抑的罩衫，举止十分优雅。

　　她就是这所补习学校的校长。

　　"也有学校会安排笔试，不过那也就是备用而已，也有些学校不采用笔试的形式。"

　　校长透过玻璃，朝一名指导员点头示意。

　　随即，隔壁的一间由玻璃围成的房间里，一名带着四个孩子玩耍的指导员站起身来，他三十来岁的样子，一身运动服。指导员把孩子们带入了用玻璃隔开的另一片区域。

　　孩子们立即朝摆放在房子中央的三个玩偶跑去。一个男孩反应慢了，没能抢到玩偶，便哭了起来。

　　一位女性发出"哎呀"的一声轻呼，随即红了脸，低垂着头，想必是这男孩的母亲。

　　"这是行动观察测试中经常出现的题目。故意不给足玩具，随即观察孩子们的举止。"

　　哭泣的孩子眼瞅着玩偶，越发哭得大声了。

　　"照这样下去，这儿所有的孩子都没有小学可上……"

　　说着，校长随意瞟了一眼房间，脸上浮现出一丝惊异。

　　房间里有了动静。一个正玩着玩偶的男孩，将自己的玩偶递给了那个哭泣的孩子。哭泣的孩子一把将玩偶抢了过去。

"哎呀，真是善良的孩子！可惜，即便如此，这孩子还是没法及格。"

贡献出玩偶的正是庆多。白皙的皮肤，乌溜溜的大眼睛，甚是惹人怜爱。曾经有人误以为他是个女孩。

庆多眼巴巴地瞅着拿了自己玩偶的孩子，那孩子却压根看都没看庆多一眼，只顾玩着玩偶。庆多也不哭，眼里有些难过，只是呆望着那玩偶。

看着这一幕，校长点了点下巴继续说道：

"礼让是了不起的美德。但光凭这一点还是行不通。学校想看到的是能呼吁其他孩子轮流使用玩具的领导力和共情能力……"

绿的两耳已经听不进校长的话了，她现在只是急切地想紧紧抱住庆多。

然而，此时此地，绿什么都没有做，只能强迫自己把注意力挪回到校长的一字一句之中。

她脑海里浮现出了丈夫俊朗的侧脸。

2

　　成华学院小学部的考试时间是十一月的第一个周六。

　　因工作的关系，野野宫良多并没有参加补习班安排的面向父母的考前面试预演。身为妻子，绿多少有些不安，却并未言语。因为她发现良多的书房桌子上一直被搁置的面试模拟题集有被翻看过的痕迹。

　　良多无疑是引人注目的，身高一百八十厘米，虽说四十二岁了，体重却一直保持在七十至七十五公斤之间，深色西装包裹着匀称修长的身躯，活脱儿就是一个模特。更遑论他那张秀美、俊逸的脸，即便不是女人，也会看得出神。

最吸引人的莫过于他自内而外散发出来的自信。良多身居核心要职，运筹重大项目——这种强烈的担当感更为他平添许多魅力。

视线一旦先停留在良多身上，很快便会移到良多旁边绿的身上。时至今日，绿依旧会在这种注视下感到怯懦。她察觉到，那些视线里毫无疑问带着轻蔑的意思。对此，她自有觉悟，自己是粗鄙了些，配不上良多。算上和良多谈恋爱的那段时间，这共度的将近十年岁月中，她本以为自己已经妥协了，可实际上，她始终无法面对那种评头论足的视线。

面试的考官是校长和教务主任。校长是女性，教务主任是男性。两人都是五十来岁，神情温和，静候着良多一行。校长和教务主任的形象就跟补习学校里说的一般无二。绿紧张的心情稍稍舒缓了些。

听到教务主任提问，庆多答了姓名和出生年月。

"我叫野野宫庆多，今年六岁。生日是七月二十八日。"

庆多的声音一开始有少许颤抖，良多夫妇不由在心中捏了把冷汗，但很快，庆多的声音就变得洪亮而清晰。

校长向良多提问道：

"请您讲讲庆多小朋友名字的由来。"

"'庆'字是外婆取的，'多'字是取了我的名字'良多'中的一个字。这名字包含了我们夫妻二人的心愿，希望他能度过多福、喜庆的一生。"

这答案堪称完美。绿飞快地看了良多一眼，恰好良多也把视线转向了绿。两人的视线在半空中不期而遇。

"庆多小朋友是更像爸爸还是更像妈妈？"

这个问题也是模拟题集里的，绿暗自思忖着。

良多像往常一样，停顿了片刻，才开口说话。他的声音既不低沉，也不高亢，入耳十分舒服。

"我觉得温和稳重、待人善良的性格像我的太太。"

模拟题集里是有示范答案的，良多却并没有照搬，而是用自己的语言做了解答。不过，他参考了猜题集里的答题提示——"少彰显自我，多赞美伴侣，可以提高面试官的好感度。"

绿微微点头，表示赞同。

"您认为庆多小朋友的缺点是什么？"

校长问道，视线落在良多的身上。只要没有点名让母亲回答，提问基本上都是对父亲的。

"缺点也在这里了。性格有点温暾，输了也没太多不甘心。作为父亲，这点我感觉还是要有些改变才行。"

良多的回答很流畅，没有丝毫迟疑。教务主任和校长频频点头，不断地提问。教务主任的视线一直没往下看，只在手边的笔记本上写了些什么。

良多稳如泰山地直视着前方。绿用眼角的余光不时地瞥一眼他的侧脸。

模拟题集里写过，无论是问到长处还是短处，"重要的是根据学校的教育方针来作答"。良多的回答完全符合学校的教学方针——"培养积极上进的孩子"。

绿彻底放心了，那种踏踏实实的安心感，就像是搭上了挪亚方舟。

教务主任和校长交换了一下眼神，各自点点头。

这是个好兆头。

校长向庆多问道：

"庆多小朋友，请说出两个你最喜欢的季节。"

"夏天和冬天。"

庆多的回答没有丝毫迟疑。面试预演时就有完全一样的问题。

"今年夏天去哪里了吗？"

庆多有一瞬间露出迷茫的神情。绿心想这明明是练习过的问题，是忘记答案了吗。下一秒，庆多开口回答道：

"……夏天，跟爸爸一起去露营了，还放了风筝。"

听到这回答，良多的脸上露出笑容。

"爸爸放风筝厉害吗？"

回答校长的问题时，庆多一脸骄傲。

"可厉害了！"

良多笑容满面，点了点头。

其他就是问些在家有没有帮忙做家务，喜欢吃的食物是什么，诸如此类。都是预演的时候练习了无数遍的问题，庆多回答起来也毫不含糊。

面试后大家转移"战场"去了体育馆，目的是让孩子独立活动。这就是考试中备受重视的行动观察环节了。

活动内容是把塑料袋随意加工成自己构思的形状，吹得鼓鼓囊囊的，再用折纸装饰，做出一个"活物"来。

五十个孩子被分成每五人一组，在体育馆开始活动。父母是不允许旁观的。

不过，光听说是用塑料袋做个"活物"，绿便猜到了内容，必定是准备的剪刀和胶棒不够人头份。这不过是第一次进应试补习学校时，庆多体验过的行动观察课题的升级版罢了。

补习学校已经完美地传授了应对行动观察的秘诀。孩子要提出一套方案来解决，相互调配不够的剪刀和胶棒，使用剪刀之类的危险物品时要小心，刀尖是万万不能朝向人的，不光自己要留意，看到其他孩子搞出什么危险动作来也要记着提醒，等等。

应当没什么可忧心的，不就是为此才去补习学校折腾了那么长时间。

　　绿跟其他送孩子上补习学校的妈妈始终合不来，并不是因为哪些具体的言行举止，有点说不清、道不明，估摸着是因为所谓的出身吧。绿是在农村一个极其平凡的家庭长大的，她对此已很知足。然而扎堆上补习学校的其他妈妈——不能说全部吧——却与她有天壤之别。

　　面试结束后，五十个孩子的父母在学校宽敞的大厅等候。考试为期两天。第一天考试是五十人一场，考了十场。这已是第二天。能通过的不过一百人左右，也就是十里挑一。放眼全国，这种通过率的小学也屈指可数，是真正的高门槛学校了。

　　良多正透过窗玻璃眺望着校园。虽说位置在市中心，这校园倒是宽敞得很。

　　"变样了吗？"

　　看着良多的背影，绿问了一句。她就坐在良多正后方的沙发上。由于面试过于紧张，绿有些疲惫。

　　"毕竟也过了三十多年了嘛。"

　　良多微微把脸转向绿，回答道。他曾经也是这所小学的学生。绿想着，那是自己出生前的事了。她今年才二十九岁。

　　"不过……"

　　良多颇有点嘲讽地用下巴点了点校园，回过头来。

　　"那时操场可没这样的照明设施。看来学校也赚了不少钱吧？"

绿慌忙地责备良多。

"少说两句……"

绿紧张地环视了一下四周，谁知道哪儿站着学校的人。

良多冷笑了一下，掏出手机看了看时间。

好不容易才挤出点时间过来，能早一分钟回去也是好的。

刚看完时间，大厅就响起了孩子们的说话声和脚步声。

老师领着孩子们走了过来。终于能从考试中解放出来，一看到父母，孩子们顿时一齐撒开腿，朝着父母的怀抱飞奔而去。

"在座的各位家长，今天的考试到此结束。请大家回程一路小心。"

领路的女老师行了一礼。

"今天谢谢您了。"

仿佛接收到了某种指令，近百人的家长们齐刷刷地低头致谢。

领路老师的身影消失的同时，大厅顿时热闹起来。

"开心吗？"

绿抱紧庆多问道。

"嗯。"

庆多露出天真无邪的笑容回答道。绿真切地感受到上补习学校的成效。正因为花了许多时间，在庆多的小身体里培养出了这种能力，才没有让他承受巨大的负担。虽说也有不少令人不快的事，但总算能给自己一个交代：送去补习还是对的。

"庆多。"

良多叫住庆多。

"没有跟爸爸去过露营吧？"

"嗯。"

庆多依旧满脸天真无邪地回答道。

"那为什么要那么说呢？"

良多的话语里并没有责怪的语气，似乎觉得颇为有趣。

"补习学校的老师让我们这么说的。"

听到这回答，良多呼出一口气。

"哦，这样啊。这补习学校真是了不得啊。"

良多带着点嘲讽的语气说道。他一边摸着庆多的头，一边轻声笑了起来。

绿压低声音对庆多说：

"对哦，可了不得哦。还说了'最喜欢的是妈妈亲手做的蛋包饭'呢。"

绿和庆多就像密谋了什么见不得光的事一般，一齐压低声音偷笑起来。

良多也被逗笑了。绿的厨艺绝对不差，甚至可以说是非常拿手。但不知为何，庆多却爱极了附近一家肉店用老油炸出来的炸鸡块，若要给他什么吃的做奖励，必然会点名要这炸鸡块。妈妈亲手做的蛋包饭反倒排到第二，但补习学校说妈妈亲手做的蛋包饭会在考试中更为有利。

庆多一边朝正门走去，一边专注地给妈妈讲自己做的塑料"可爱小怪兽"。

良多这边耳朵听着，那边脑子却已经在考虑工作的事了。

良多在学校旁边的收费停车场跟绿和庆多告别。他本来提议开车送两人回家，不过绿知道良多工作忙，便拒绝了。说正好半道上想买点晚餐的食材，要坐公交车回去。

良多一边开车，一边回想起在收费停车场见到的那两个家庭。毫无疑问，那两家也都是来考试的。两家的父亲看起来都比良多年长。而且，两个父亲开的都是同品牌的、德国车中最高端的车型。

良多的车是日系的。虽说是日系车，这个价格买辆外国车也是绰绰有余的。不过在良多从事的行业中，比起招摇的外国车，日系车更受欢迎。即便如此，跟那两位父亲开的车比起来，价格肯定是逊了一筹。

但是，也绝不是拿不出手的价格。良多一边打着方向盘，一边暗自较劲。

　　良多在大型建筑公司——三崎建设工作。那是被称为"超级建筑公司"的日本五大建筑公司之一的公司。最近，公司在临近东京站的地皮上建了一栋地上二十层的新大楼，良多所属的建筑设计本部位于第十九层。建筑设计本部作为公司的明星部门，设计了许多被称为城市地标性建筑的大型建筑。而良多作为实质上的一把手，管理着整个团队。

　　把车停进地下停车场后，良多乘上电梯，整个心思都在汇报上。应该是没什么遗漏了，但他追求的是精益求精。

　　电梯静寂无声地往上爬，轻柔的声音响起，十九层到了。

　　刚跨出宽敞的电梯间，办公室的门打开了，一个体格健壮、身着西服的男人走了出来。

　　"哎哟，被发现啦。"

　　边说边笑起来的男人正是良多的上司——上山部长。

　　良多停住脚，弯腰恭敬地鞠躬。

　　"您辛苦了！"

　　头刚抬起，良多就笑眯眯地调侃起来。

　　"稀客啊，大周六的。"

　　上山那粗犷的脸上露出不好意思的笑容。

　　"本来还想着在你来之前就溜的。"说着他回头看向身后的办公室。

　　"那个 CG（计算机动画），做得不错啊。"

上山说的是为本次汇报制作的CG。模型固然重要，但就传递出的信息量而言，CG影像有着压倒性的优势。影像中除了建筑物本身，还能使用特效和音乐，有时还会采用动画。毫不夸张地讲，CG的效果决定了汇报的成败。

"谢谢！"

良多说着鞠躬行礼，却故作姿态地昂首挺胸，摆出一副骄傲的神色。

"把外协公司折腾得够呛吧。"

上山边说边戳了戳良多的胸口。

良多夸张地做出要吐出来的模样。

良多是个容不得妥协的人，一旦有了明确的蓝图，就会将之贯彻到底。这还是从上山那里学来的。

"毕竟让他们返工了三回。"

面对良多毫不留情的否定，CG制作公司也有了情绪，双方还因此起了点争执。虽然这事没有劳烦上山出马就已经解决了，不过流言大概早就传进了他的耳朵。

保持距离，观望但不发声。上山是有"容人之量"的人。

"交给你啦。"上山用力拍了拍良多的肩膀，轻声在他的耳畔叮嘱道。

只这一句，便让良多豪情顿生，宛如过了电一般通体酥麻。

良多鞠躬行了一礼。上山是个了不起的人物，他经手的建筑数不胜数，建造过程中造就了无数的传奇和英雄事迹，可以说是支撑着三崎建设走到今天的人物之一。如此传奇的男人如今已五十五岁。有传闻接下来他将就任公司董事，也就是所谓的离开一线，进入管理层了。而良多正是被视为其接班人的存在。如果天从人愿，他将成为公司历史上最年轻的部长。

"我这碍事的就赶紧闪人了。"上山半开玩笑地朝电梯走去。

良多追上正要乘电梯的上山。可万万不能就这样把他当"碍事的"给送走了。

"啊，我马上完事。要不要一起去上次的那家店？"

前几天去过一家小料理店，店里的下酒菜个个都口味绝佳，令上山赞不绝口，这种事良多自然是记在心里。

上山苦笑道：

"抱歉啊。我接下来要跟老婆去银座看电影。"上山边说边走进了刚刚抵达的电梯。的确，他脖子上绕着的围巾款式时尚别致，透着"要去银座约会"的情调。

"有个优秀的部下，上司就得忙着服务家属咯。"

上山的话令良多十分受用。他虽然极少夸人，但一旦要夸，便总要加些叫人难为情的话。

电梯门缓缓闭合，良多深深地低下头。

"拜托啦。"

门即将闭拢时，上山说道，声音温和而体贴。

"好的。您辛苦了。"

良多朝着已经关上的门又鞠了一躬。

建筑设计本部所在的楼层十分安静。虽然周六施工现场还在作业，但建筑设计本部基本上维持周末双休的制度。但此时此刻，偏安一隅的会议室却忙得如火如荼。包括良多在内，有五名男性职员和三名女性职员在场。每个都是年轻有为的精锐干将。他们团团围在放置在大会议桌上的模型周围。那是位于市内的巨大候机楼前的一个再开发项目的模型。建筑物大面积采用了具有开放视野的玻璃，建筑物外侧还设置了巨大的螺旋阶梯。由于这巨大的建筑物整体都被玻璃覆盖，所以看上去宛如直达苍穹的回廊。建筑物前是一个绿化公园。虽然空间有些浪费，但根据政府规划的要求，这是进行大规模开发项目时必须尽到的义务。

"南面是这个方向吧。"

良多一边审视着公园，一边询问负责模型的男职员。

"对，太阳是这样照过来的。"

这个后辈用手演示着日照的方向。看完，良多略微沉思：即便是冬季，这种设计也应该可以保证日照的面积。根据个人喜好不同，这将是一个绝佳的去处。

"在公园散步的不应该只有单人和情侣吧。"

这说的是公园里摆设的人物模型。

"多加点一家人的模型吧。"

对良多的这个提案，所有人都表示赞同。

"再加点遛狗的……"

另一个男职员进一步拓宽了思路。良多当即应允。

"嗯，不错。再稍微增加点居家的感觉。"

这是模型里欠缺的视角。汇报时虽然强调了面向家庭的用心之处，但着力点都放在了建筑物本身，在公园这个"多余"部分的细节上，却没有体现出更多的"家庭感"。

良多看着模型，脑海里描画出和庆多在公园玩耍的情形。要是没有组建家庭，可能这个视角就被忽略了。他试着在脑海中搜寻更多和庆多在公园玩耍的记忆，却发现那要追溯到很久很久以前……

一个活力十足的声音将良多从思绪中拉回现实。

"各位，头儿请客叫晚餐了，要点什么，比萨还是小锅什锦饭？"

伴随着这声音出现在眼前的是松下波留奈。她修长的身躯裹着紧身的灰色西装，大眼高鼻，五官精致，虽然已经是三十六岁的年纪，外表看起来也就二十来岁的模样。

她手里拿着外卖的菜单。

头儿指的是良多。当然也可以称呼职位，但"头儿"这称谓已经深入人心。

“晚餐吃什么比萨嘛。”

良多虽然表达了不满，但年轻人似乎已经决定了比萨，一个个当即嘟囔着“多谢款待”，从波留奈手里拿过比萨店的菜单选了起来。

团队副手波留奈看着良多，这是不同以往的深深凝视。良多退缩了，移开了视线。波留奈发出轻笑，仿佛在嘲讽“服务家庭”归来的居家好爸爸的“置工作于不顾”。

“十分之一的通过率，真的很难呢。”

绿一边在最新款的一体式厨房的深水槽里清洗着土豆，一边用肩膀把手机夹在耳边，与独居在前桥的母亲通电话。说话的声调略微带着些故乡群马的口音，只有同乡人才分辨得出来，根本算不得是方言。

“我最开始想的是公立也行。但良多说，与其事后辛苦，倒不如现在努力一把还轻松些……嗯，我现在也觉得幸好加了把劲。但还不知道能不能考上呢。呀！”

房间里突然响起了家中固定电话的来电铃声。

与厨房连成一体的客厅地板上放着一个坐垫，一直坐在坐垫上玩游戏的庆多站起来，朝放在厨房柜台的分机走去。

“是爸爸。”

绿点点头。良多很少直接打家里的固定电话。绿心中略有些不安，是不是有什么事呢？她跟母亲说了句"我再给你打电话"就挂断了。

"喂？"

没等绿去接，庆多已先拿起了面向客厅摆放的柜台上的分机话筒。

"是爸爸？"

绿询问了一句，庆多却默不作声。如果是良多以外的人打来的电话，庆多就会一言不发。绿擦干湿漉漉的手，拿过电话听筒。

"您好。"

一个从没听过的男性声音以格外殷勤的语调开始自我介绍。不是推销产品的。绿有些不安，换了只手，把听筒紧贴着耳朵。

从总公司的地下停车场出发，若是走首都高速公路，周末只需要三十分钟左右就能到家。而且良多对于规避拥堵的走法早就烂熟于心，即便是工作日，通勤时间也就一个小时。所以就住在市内而言，这样的区间算得上是轻松惬意的。

良多驱车爬上自家公寓前的斜坡。从坡下朝坡上看，一座地上三十层的公寓大楼高高耸立。在这本就是几乎没有高层大楼的地段，更是格外显眼。

公寓的停车场在地下，停车场内排列的尽是些国内外的高档车。良多把车停在一个角落，用专用的钥匙打开了电梯入口的门。

间接照明把电梯间照得柔和明亮，通向电梯间的通道上铺着
黑色大理石，皮鞋敲击在大理石上发出"咚咚"的脚步声，令人
身心愉悦。

良多钻进电梯，按下了二十六层的按钮。

从房内打开客厅门锁，是庆多小帮手的工作之一，只是参
与这一工作的机会很少。大部分时候良多回到家时，庆多已经
睡了。

"爸爸回来啦。"庆多接过良多手里的外套，朝客厅跑去。

庆多已经泡完澡，换上了睡袍，戴着绿亲手织的毛线腹
带。他睡到半夜总要蹬好几回被子，保暖的腹带便是必不可少
的存在。

庆多把外套放在餐桌旁的椅子靠背上后，便迅速占据电视机
前的领地，继续他的保龄球游戏。他本就圆溜溜的大眼睛越发睁
得大大的，整个心思都在游戏里了。

出来迎接的绿把良多的皮包放在餐桌旁的椅子上。

"我还以为要更晚些呢。"

周六本来是休息日，但良多基本不休息，深夜回家也已是家
常便饭。而他这个人，并不会因为这些就疲惫不堪。

一边脱西装，一边走进客厅的良多并没有回答，只是看着

庆多。

"哦？钢琴已经练完了吗？"

"我想着，考试也结束了，今天是不是就算了……"

绿的话像是在辩解。

"连你都这样要怎么办？这种事一旦休息一天……"

妻子抢过丈夫责备的话头。

"要补回来的话，'就要多花三天'，是吧。"

虽说是戏谑的语气，但绿满脸堆笑地这么一说，良多也被逗笑了。

"来，练钢琴吧，庆多。"

"嗯。"

庆多马上关掉游戏的电源，收拾到固定的位置。真是个听话的好孩子。

绿催促着庆多坐在钢琴前。虽说时间还早，但很多人对休息日晚上的噪声格外敏感。虽然家里已经完善了隔音设施，但绿还是把钢琴的音量调低了。庆多开始了弹奏，曲目是《郁金香》。他的指法还有些生涩。

"是吃完饭回来的吧。泡澡的热水烧好了。"

"就吃了一块比萨。"

良多一边解开领带，一边叹着气说。那会儿完全没有吃晚餐的胃口，也就没动手，结果年轻小伙子们就如风卷残云般瞬间把良多的那份也吃了个干净。

"啊？那你跟我联系一下也好呀，哪怕是发条短信。"

绿一边说着一边打开冰箱，开始准备晚餐。

"没有米饭了。最快的就是乌冬面，是三村先生从香川寄过来的。"

"啊，那就吃乌冬面吧。拜托煮生一点啊，硬一点。"

"不会再失败啦……"

面刚寄过来的时候，绿急于试着下锅，结果弄错了烹煮时间，煮出来的乌冬面完全没了嚼劲。

"啊，这次肯定不会出错的，不过，不放鸡蛋哦。"

釜扬乌冬面浇上生鸡蛋和酱油，这是良多的心头好。

"啊？放吧。"

"不行，胆固醇太高了。"

"就一个不至于吧，对吧？"

良多向庆多要支持票。

庆多停下弹钢琴的手，面朝良多，两臂交叉摆出一个大"×"。

"不行！"

良多顿时全身泄气了般扑倒在桌上，就像被手枪击中的大反派一般。

庆多高兴得哈哈大笑，又很快投入到钢琴的练习之中。

"为什么不行呢？"

本该死去的大反派又复活了，他轻手轻脚地从庆多的后方靠近，把手伸向键盘，和庆多一起弹奏《郁金香》。

绿在厨房凝视着父子连弹的背影，合着两人演奏的旋律，有节奏地切着大葱。

这样的时光要是能多一点该多好啊，绿心想。

良多的公寓虽然只有两室一厅，但十分宽敞。客厅和厨房的空间都设计得绰绰有余，一家三口住在里面也不会感到拥挤。厨房和客厅用的是类似米白色衬衫质感的壁纸，与地板用色统一。从屋顶垂至地面的巨大落地窗，可以将市中心的风景尽收眼底。由于周边没有高层建筑，可以说是绝佳的观景视角。特别是夜景，常常让来访的客人惊叹不已。

良多在看样板间的时候，最看中的便是其静谧之处，没有所谓的"方便实用"，应该说是没有生活的烟火气吧。而维持这份静谧的是绿。她把房间整理得井井有条，与当初的样板间相比几乎没有什么改变。当然，厨房里的物品越来越多，墙壁上也贴上了庆多画的画，还有照片。但良多对此也只能睁只眼闭只眼了。

两个房间中较大的那间是卧室，一张双人床和一张单人床严丝合缝地紧贴在一起。一家三口就这样呈"川"字形睡在一起。

另一个较小的房间则是良多的书房。

　　绿在卧室守着庆多睡着后，便合上绘本，从床上起身，对客厅里的良多说道：

　　"也不知道三村先生的新工作进展得顺利不顺利。"

　　"船到桥头自然直。那家伙本来就更适合待在农村。"

　　良多此时正坐在客厅的沙发上重新检查提案的资料。回答得如此心不在焉倒不仅仅是因为看资料，而是他对关于三村的话题根本毫无兴趣。

　　"太冷淡了吧。明明那时那么关照他。"

　　三村以前是良多的部下，说是要回到家乡去振兴日渐衰退的林业，一年前辞职了。他做事很认真，是个很优秀的部下，所以那时良多对他是青睐有加。面对他递出的辞呈，良多也是尽力挽留了一番，只可惜三村去意已决。

　　"哪里有闲工夫去操心都已经辞职的家伙？"

　　"我这个'已经辞职的家伙'真是不好意思啦。"

　　绿边说着，边开始在厨房准备咖啡。

　　良多和绿是办公室恋情，最后修成了正果。绿在结婚的同时把工作辞了。

　　"已经睡了吧？"

　　良多边看汇报材料边询问道。

　　有件让人心里不踏实的事，绿本想着庆多睡着了就马上跟良多讲，却又有些难以启齿。她知道要是央求良多休假，良多定会不高兴。所以绿开不了这个口。

"嗯，看来还是紧张，所以累了。"

"罢了，能做的我们都做了，剩下的就看庆多自己的努力了。"

良多以为接下来还有笔试。绿明明之前就已经跟他说过多次，考试到今天就结束了。不过，绿并没想要去订正。

"他一直很努力呢，说要成为爸爸那样的人。"

绿的话没有得到任何回音。良多已经开始集中精力忙工作了。她并不想打搅他，但夫妇二人如这般聊天的机会实在太少了。于是绿接着说道：

"最近稍微勇敢了些，对吧？"

"是吗？"

得到的是心不在焉的答复。

"好像敢于跟大地君说'住手'了呢。"

听到"大地君"这个名字，良多有了反应。暑假结束后不久，庆多就哭诉着"被大地君欺负了"。这事跟幼儿园的老师也商议了，后来父子二人约定"要是有人对你做不喜欢的事情，就说'住手'"。之后的一段时间，庆多天天都是哭着回家的，但最近这状况已经没了。

"若是才好。如今的时代，过分温柔是要吃亏的。"

绿记起来了，这个事情的经过她也跟良多说起过，那时他的回答也是这般心不在焉。

"面试的时候还说这是他的优点来着。偶尔也夸夸他吧。"

良多微微皱了皱眉头，站起身来。

"总不能两个人都唱白脸吧。"

说着，他把视线放回到汇报材料上，如逃跑般躲进了书房。

难得有时间两个人如此悠闲说话，为了尽快填补两人之间的隔阂，良多的语气才多少有些焦躁和责备。

绿一边反省着，一边倒好咖啡，端进书房里。

"咚咚。"

书房的门是开着的，绿用嘴模仿着敲门声，这倒意外地缓和了气氛。

"嗯？"

良多关了房间的照明灯，只开着书桌上的台灯。书桌旁有一个电脑专用桌，桌上摆放着一台台式电脑。

房间大约有六张榻榻米大小，除了桌子以外，靠墙处还有个书架，书架上排列着建筑设计的大型书本，还有小说和CD。良多非常喜欢看书、听音乐，也买了很多，但又没时间来享受，结果也只能是收在书柜里落灰。

房间和客厅一样整洁有序，毫无多余之物。只有一样是特别的，那就是房间正中央靠在支架上的一把吉他。这是良多学生时代的钟爱之物，可惜好多年都没机会摸一摸，更别说取下来弹上一曲。不过毕竟感情深厚，他不舍得就此束之高阁。

绿把装咖啡的马克杯放在书桌的一端。咖啡的香气氤氲在整个房间，光闻着这气味就能让人放松下来。

"哦。"

良多一边回应着，一边整理好汇报资料，放进了文件夹。

"谢谢啊，那么忙今天还抽出时间去学校。"

绿一边说着感谢的话，一边从良多的书架上抽出一张CD。就算两人是多年的夫妻，可当面说这些感谢的话语还是叫人有些不好意思。

"庆多不也挺开心的嘛。"

"要是周日能陪陪他就好了。"

良多明天也是一早就要上班，回家估计就深夜了。

绿把CD放回书架，转身朝向丈夫。

"这个嘛……"良多说着，结束了文件的整理，又去整理桌面。

"等这个项目结束，就能抽出时间来了。"

"这句话你都念叨六年了。"

绿半开玩笑地说着，良多却是一脸的意外。

"是吗？"

良多并没有开玩笑，他已经完全忘记了这六年来自己根本没有好好休过假，简直就是连"休息日"为何物都忘记了。

"是的呀……"

感觉几乎就要变成埋怨的语气了，绿赶紧闭了嘴。时隔好久在家一起度过的时光，她实在不想以吵架告终。

但有些事不得不说。终于，绿还是开口了，尽量表现出轻松的语气。

"说起来，今天前桥的医院来过电话。"

说的是那个特别郑重其事的电话。

"医院？"

"那个，庆多出生的医院。"

"哦。说什么了？"

"没怎么说清楚。就是说有事情要谈。"

"也没说个理由吗？"

"说是见面以后说。究竟是什么事呢？"

绿说着，心里不安起来，双手抱在胸前。

"输血？是不是有什么问题？不会是什么麻烦事吧？"

的确，绿在分娩时因失血过多接受了输血。输血这项治疗是需要家属签署同意书的。当时因为良多来不及赶到，还是守在产房外的岳母签的字。

"能抽出点时间吗？"

良多很想说，连入学考试的面试都是好不容易才挤出来的空当，哪里还能再分得出时间。但是这话冲妻子说也是无济于事。

"嗯。"

良多压抑着情绪，小声答道。

3

　　第二天上班后，良多再次确认了行程，经过苦心安排，终于在后天的下午腾出一个小空当。医院方面表示会前往这边指定的地点。良多便把地点定在了公司旁边的酒店，指明会面时间要控制在三十分钟到一个小时之间。

　　良多刚给妻子发完短信便收到了回复，似乎医院的事务部长会在律师的陪同下一起到访指定酒店。

　　有律师出席，那就不是简单的小事了，这点还是能想象得到的。难不成是输血导致的感染吗？听说肝炎的潜伏期挺长的。绿若是需要住院，就有必要考虑下对策了……

但是，良多的忧虑很快就被一波接一波袭来的工作给吞没了。

最终，没来得及想任何对策，时间已经到了周二的下午。虽说是周二，却有好几对新人在举行婚礼，酒店热闹非凡，看来是个吉日。

在婚礼同一层的会议室中，良多和绿与前桥中央综合医院的事务部长秋山和律师织间碰面了。

会议室中间是一个足足可坐下十来人的大会议桌，双方隔桌对坐。房间的气氛冷冻如冰。门外隐约传来婚宴结束后宾客喧闹的声音。

医院方摊牌后，良多和绿完全陷入了沉默。这种沉默不知持续了多久，搁在桌上之前还氤氲着热气的咖啡此时已然凉透。两人都无法相信"那事"。要怎么办才好？根本毫无头绪。

"抱错了……"

最终是良多打破了僵局。长久的沉默之后，他的声音略带嘶哑，没了惯有的自信，人都有些恍惚了。这声音简直让人无法与平时思路清晰的良多联系到一起。而坐在一旁的绿却无暇去注意这些，只是失魂落魄地死死盯着旁边椅子上摆放着的秋山带来的群马招牌土特产"旅鸦"的包装纸。

"弄错孩子这种事，是我们小时候才会发生的陈年旧事了吧？"

面对良多的责问，事务部长秋山耷拉下他那细长的脸，点了点头，仿佛在说"对不起"。

秋山身旁的律师织间身材高大，一张棱角分明的国字脸，给人一种粗犷的印象。

"大部分事故都发生在昭和四十年（1965年）那会儿。"

织间继续说道：

"沐浴的时候被护士抱错，据说是当时护士人手不足导致的。"

秋山的脸有些发烧，开始说道：

"我们医院当时也以此为戒，自昭和四十四年（1969年）开始，就不再用记号笔在脚底写名字，而是改成绑姓名带的方式。自那以后到现在，再没有发生一例……"

"那为什么现在又发现出了这种事……"

良多刚一说出口便意识到多说无益，便不再往下说了。

"所以我们也是相当吃惊……"

听着秋山如此说法，良多的脸立即沉了下来。

"最受惊吓的可是我们啊！"

秋山本就矮小的身躯更加萎缩起来，连忙行礼致歉。

"当然，您说得对。"

织间连忙圆场。

"那么，对方夫妻那边的男孩是？"

秋山像早就等着良多提这个问题，立马解释道：

"是的，因为那孩子小学入学的验血结果，血型跟父母的都不匹配……"

不等他把话听完，良多就急忙道：

"我们家血型没问题。"

良多把脸朝向一直默不作声的绿。

"对吧？"

绿没有回答，空洞的眼神看向秋山。

"你们确定了吗？"

她的声音都在发颤，脸色苍白，看起来似乎马上就要晕过去。

但秋山和织间都缄口不语。因为根本没法给出准确答复，只能说概率很高。

"庆多真的不是我们的孩子吗？"

尽管已经竭尽全力控制不要吼出来，但绿还是颤抖着，无法抑制地拔高了声调。

秋山战战兢兢地开口道：

"同时期出生的男孩有三个，您家的孩子是其中一个。还不能完全确定。总之麻烦先做个DNA（脱氧核糖核酸）亲子鉴定，之后才能得出正式的结论……"

也就是说概率是三分之一。良多和绿都说不出话来。

事后是怎么回来的，两个人已经完全记不起来了。

第二天是周三，良多在公司收到了绿的短信。内容是收到了成华学院的录取通知，今晚开个庆祝会，让良多早点回家。这是个天大的好消息，若换作平时，绿的这条短信一定是被各种文字装饰得十分华丽，但此时这条短信却冷清得很。不过，良多完全能理解绿现在的心情。

良多从内心深处害怕面对庆多。瞧见庆多的脸，他便会不由自主去寻找跟他们二人相似的地方，去探索庆多的言行里是否有自己和妻子的影子。然后，一旦发现庆多和自己的不同之处，就会失望不已。良多厌恶着用这种目光去看庆多的自己，只昨天一个晚上已经把他折磨得心力交瘁。然而，终究无路可逃。

尽管原本计划是要加班的，他还是发了条短信，说会赶在晚餐之前回去。

良多回得有些晚，在早已准备好的庆祝蛋糕上点上蜡烛时已经过八点了。

蛋糕上镶嵌着一块巧克力牌，写着"庆多，恭喜录取！"。蜡烛的数量与年龄一致，六根。

"恭喜录取！"

良多和绿说话的同时，庆多吹灭了蜡烛。

房间的灯已事先关好了，一瞬间，东京的夜景便从窗外浮现出来。

"哇哦！"

庆多干脆利落地吹灭了蜡烛，良多发出一声赞叹。绿和庆多也学着欢呼起来。

晚餐以炸大虾为主。今天没有炸鸡块，桌上摆的都是绿亲手烹制的料理。沙拉、炖牛肉、奶汁烤菜……做得实在太多了。

良多把收在书桌里许久没用的照相机拿了出来，给正在吃炸大虾的绿和庆多拍照。拍了不只是一张，而是好多张。绿也说想拍拍看。这么久以来，她都没有起过碰照相机的念头，今天却对着庆多和良多好一顿拍，很是闹腾了一番。庆多也喊着要拍照，良多便教他也拍了几张。

"拍得太好了！"看着庆多拍的照片，良多近乎夸张地赞美道。

良多也跟着闹腾。要是不闹腾，视线就会不自觉地被庆多的脸吸引过去。他只是想将这份念头尽量抛在脑后。

三人一起躺到床上。即便躺在床上，良多和绿依旧心绪难平。

一天的疲劳沉淀下来，良多仰面倒在床上。但或许是因为过于兴奋，怎么都睡不着。庆多就睡在他身边。隔着庆多，绿躺在另一侧。良多心想，到底有多少个月一家三口没有一起睡了，上一次似乎是很久之前，以至于他竟一时想不起来。

庆多握住了满怀心事的良多的手，良多吃了一惊。

庆多把良多的手拉近自己的脸，右手则紧握着绿的手。

庆多将两人的手合在一起，让父亲和母亲的手指甲相碰，轻柔地摩擦着。

"相亲相爱，相亲相爱……"

这一瞬间，良多感到羞愧，与此同时，内心深处涌出温暖的情愫。这种情愫以前也曾体会过。早就不记得因为什么，只记得自己就一些琐碎的小事跟妻子起了争执。那时尚且年幼的庆多就这般牵起两人的手，嘴里说着"相亲相爱"，想让两人和好。

那时良多也是这样的情愫，羞愧又温暖，还有一丝困惑。

良多凝视着庆多的侧脸，视线越过庆多的头，对上了绿的眼眸。

绿的双眼已经被泪水打湿。

庆多是不是敏感地察觉到今晚的父母有些反常，所以才念叨着"相亲相爱"？

良多很想问问妻子，但终究只是沉默着，凝视着妻子的眼睛。

前桥中央综合医院的事务部长秋山说过，也可以派鉴定人和见证人直接上门进行 DNA 亲子鉴定。考虑到工作上的安排，良多觉得这样挺好。但绿极其少见地提出了反对意见，态度坚决。

她强调"不喜欢让穿白大褂的人进自己家门"。良多何尝不知，穿白大褂根本不是反对的真正理由。她只是想让这些来冷酷无情地"判决"自己亲子关系的人，离自己的家越远越好。

最终决定在周六的傍晚，由良多抽空带上一家三口去市中心的研究所进行鉴定。在公司里告知波留奈周六要早些走的时候，被反问了一句："呀，最近很频繁啊。是你家孩子出什么事了吗？"波留奈这敏锐的洞察力，让良多心中一乱。他压下心底的慌乱，只是简短地回了句"没事"。

市中心的研究所就像科幻电影里会出现的那种了无生趣的建筑，冰冷而阴暗。

夫妇二人把庆多夹在中间，并排走在除了实用一无是处的亚麻油毡地板上。这是一条昏暗的走廊，墙上写着"节约用电，调低照明"，但这也实在太过昏暗、阴沉了些。

与良多的心情恰恰相反，庆多因为难得跟父母亲一同出门，心情十分愉悦，两只小手被父母紧握着，不停跳起。

走廊里回荡着庆多的欢呼声，这让良多和绿阴郁的心情也稍微轻松了些。

只是，根据鉴定结果的好坏，也许再听到庆多的声音就是另一番心境了。一边拉起庆多变重的身躯，良多意识到自己的脚步也越来越沉重。良多安慰着自己，自己是 A 型血，绿是 O 型血，而庆多是 A 型血。没问题的，抱错孩子这种事一定不会发生在自己家。

DNA 亲子鉴定是在一个类似医院诊疗室的房间里进行的。墙壁、地板都是一片白，空气中充斥着好像消毒水的药品气味。

有两个穿着白大褂的男人，还有一个身着西服的男人。据说身着西服的是见证人，也就是来证明此次鉴定是公正、公平的人。

他们先让良多坐在一张圆形椅子上，用棉棒从他口中采取黏膜。虽然之前自己已经表示过拒绝，可棉棒放入口中的瞬间，闪光灯一闪，还是被留下了一张"证据照"。接下来是绿，最后是庆多。

庆多一见这仿佛是医院的房间就开始紧张了。绿握紧他的手，安抚说只要跟自己做一样的动作就好，一点都不疼。庆多乖巧地坐在圆形椅子上，张大了嘴巴。

"请孩子的母亲站到那边。"

听鉴定师这般说，绿就跟良多并排站在一起，紧紧握住了丈夫的手。良多也紧紧地回握住她的手。

棉棒一放进庆多的嘴里，闪光灯便亮起了。那个瞬间，庆多受了惊吓，浑身发抖。

目睹着这一幕，良多和绿都感到愤怒。两人说不清愤怒的理由。只是，良多想起了犯人在警局被拍的"嫌疑人照片"。毫无理由地被卷进莫须有嫌疑的冤案……

离开的时候，见证人宛如机器人一般面无表情地告知他们，鉴定结果会在一周后送到织间律师那里。

之后的一周，良多几乎没看过庆多的脸。准确地说，是只看过他睡着的脸。工作自然是一如既往的忙碌。因为这件事，牺牲了他太多的时间。也因此，他离开办公室比任何人都要晚。

他心里明白，下一个周六，或许，就再也没法把庆多当亲生儿子来看待了。他只害怕自己要以暧昧不清的心态面对庆多。

深夜回到家中，绿也几乎不说话，看起来疲惫到了极点。

雨淅淅沥沥地下着，像无边无际的网。良多的车飞驰在高速公路上。才十一月，这天却冷得厉害，车里的空调缓缓吐着暖和的风。可是副驾驶上的绿却依然像受不了这寒冷般，双手紧抱着自己的身体。两人都沉默无语。

把庆多暂放在幼儿园朋友的家中后，夫妻俩一同前往织间的律师事务所。织间本来说上门拜访，不过两人回绝了。这也是绿坚持要拒绝的。

事务所位于一座老旧大楼的五楼。

没有电梯，不得不步行爬到五楼。绿和良多在爬楼梯的时候依旧一言不发。在来的路上，两人也几乎没说过话。即便说话，只怕翻来覆去也是同一句——"要是庆多不是我们的孩子……"可是对于这个问题，他们谁又回答得了。

一到五楼，绿就有了逃跑的念头。忘记一切的一切，若无其事地回到家中，像往常一样，把庆多抚养成人。现在的话，一切还有可能。不要去听什么结果，就像往常一样地生活下去。"像往常一样"，这是何等幸福的事啊。

被这冲动驱使着，绿很想拉住良多。可是，就在律师事务所的门前，良多回头看了绿一眼。注视着良多的脸，绿沉默了，随后点了点头。

这就是现实，她感受到了良多那眼神背后的台词。

良多推门而入，有些年岁的金属门发出"吱呀"的声响。

两人被带到事务所的会客室，里面摆着一张大沙发。沙发的海绵已经完全变形了，坐着极不舒服。

织间说道："还是请您先看看结果吧。"随即把研究所寄来的厚厚的一本鉴定书递到良多的手上，翻到结论部分。

结论处只有用蓝色字体书写的、尚且不足两行的文字。

一旁的绿也侧过身来看鉴定书。

"鉴定结果为：资料1野野宫良多、资料2野野宫绿与资料3野野宫庆多不存在生物学上的亲子关系。"

两人逐字逐字地看着，看了一遍又一遍，就好像怎么也看不懂这文字究竟是什么意思，一遍又一遍……

然而，那两行文字冰冷无情地打碎了两人内心深处那仅存的一线希望。

织间提议跟抱错孩子的另一方父母见个面。时间定在下周的周五，地点就安排在前桥中央综合医院。

良多的脑海中闪过工作的事，但此时的他已经无暇再考虑其他了。

一切都按照织间的安排敲定后，他们便离开了事务所。

"开车来的吧？开车没问题吧？是不是打车回去更好些？可以跟医院报销……"

出门之前，织间看着面无血色的良多，担心地问道。但良多回绝了。明天还要上班，更何况他就是想通过驾驶来排解这无处安放的思绪。

走出门时，雨已经停了。远处的地平线被染上淡淡的红色，一幅夕阳西下的光景。然而，野野宫夫妇并没有抬头张望的意思，而是径直钻进车里。

开车时，庆多的事始终盘旋在良多的脑海中，挥之不去。

突然，良多猛地踩住刹车。车身剧烈摇晃后停住了。他竟丝毫没注意到响起的警报声。实在太惊险了。要是就这样冲过去，他们恐怕就要在这公路和铁路的交叉口命丧黄泉了。此时，断路闸在眼前落下。

这个路口等得十分漫长，好几趟往返于东京和地方的列车呼啸而过。

"咚！"

车里突然发出一声巨响，坐在副驾驶的绿惊得全身一震。

循声望去，是良多用尽全身力气，一拳砸在了车窗玻璃上。

良多的侧脸因愤怒而扭曲着，白皙的脸庞上泛起潮红。绿从未见过良多如此强烈的愤怒神情。

"果然……如此吗……"

良多惨然地喃喃自语着，那声音仿佛是从紧咬的牙齿缝中挤出来一般。

听到这句话，绿终于泪如泉涌。她一遍遍擦干，又一次次涌出。良多话里的意味一点一点地浸染着、煎熬着绿的心。

绿死死盯着良多的侧脸。

良多并没有注意到绿的目光，他已被深深地困在了愤怒的牢笼中。

绿只觉良多的侧脸如此陌生。

出东京的私铁电车以异常缓慢的速度，从夫妻二人跟前驶过。

车一停在公寓的停车场，绿突然意识到一件事。如果真的弄错了，究竟是发生在哪个时间点？母婴手册和当时拍的照片应该还留着。把这些全部仔仔细细地检查一遍，应该能发现庆多的长相是从什么时候开始不同的。绿把自己的想法告诉了良多。

如果刚出生就弄错了，查了也毫无意义。即便查到了婴儿是什么时候变样的也一样没意义。因为就算发现前后并没有什么变化，也没法推翻 DNA 亲子鉴定的结果。良多心里虽然这般想，但一回到房间，还是马上把储藏室里的照片等物品搬到了客厅。

首先翻开母婴手册。庆多是七月二十八日的上午九点三十七分出生的。记录的分娩时间是十个小时二十五分钟。由于出血过多，分娩后就立即把绿转移到了医疗室接受治疗和输血。手册还记录着庆多出生时的体重是 2865 克，身高是 49.2 厘米。作为一个男婴，庆多偏瘦弱了些。

第一次产检是在之前住的公寓旁的小型妇产科医院。一跟医生说起绿之前流产过，那时就曾有大出血的症状，医生便告知这是高危生育，建议转到综合医院去分娩。权衡之下，他们选择了老家的前桥中央综合医院。

所以，夫妇二人并不是欢天喜地地迎接着生命的到来，而是在喜忧参半的心情中接受了怀孕的事实。

一直到预产期之前都还很顺利。但在预产期的三天前住院后，绿马上就开始了阵痛。整个分娩过程持续了十多个小时，随后绿就因大出血失去了意识。

虽说情况危急，但多亏是在综合医院，才能迅速施以治疗。

"最初的三天根本不许我抱孩子……"

绿一边看照片，一边喃喃自语。声音里满是哀伤。由于处理大出血，加上之后的消耗，绿只有片刻时间看看孩子。虽然有母乳，也只得挤出来，由护士拿奶瓶喂给孩子吃。

所以，并没有拍下庆多刚出生时的照片。即便家住前桥的母亲一直陪伴在侧，可惜没有带照相机，就算是带了，也没有拍照的闲工夫。

"我去的时候，是三十一日了吧。这应该是那时的照片吧？"

时间最早的照片是七月三十一日，是透过玻璃拍摄的。

一到规定时间，新生儿就会一溜排开在一间玻璃隔开的新生儿见面室里。那时，在一张小床上挂着写了"野野宫绿男孩"的牌子，孩子的脚脖子上套着一个姓名带。

照片拍得很清晰。良多为了赶上预产期的时间，提前把以前的胶片单反相机换成了数码单反相机，选的是佳能 EOS 的高端机型。照片里庆多的脸就像高清抠图一般轮廓分明。

"这个，是庆多吧？"

良多把照片拿给绿看。绿仔仔细细地端详着照片，不太确信地点了点头。

"我觉得是。"

现在的庆多，究竟是不是照片里这个皱巴着一张红脸蛋的婴儿长大后的样子？这个问题已经没法给出明确答案。庆多也好，婴儿也好，都没有特别明显的特征。脸上或手上长个痣也好啊，可惜痣也没找见。

"就是说，这个时候已经被抱错了吗？"

绿说着把照片还给良多，又接过其他的照片。第四天、第五天、第六天……似乎哪张照片都没什么变化，但看起来孩子的脸每天都发生着变化。

说起来姓名带上是写了床位牌的，怎么想都觉得奇怪。事到如今仍然会想，怎么可能会弄错呢？

"所以……"

良多一边从绿手里接过照片，一边说：

"我当时就说了，在那么偏僻的乡村医院不要紧吗。"

良多责备的语气让绿慌乱起来。

"我就是在那里出生的，哥哥和妹妹也都是在那里出生的，所以……"

"那也证明不了那里就是安全的啊。现在不就……"

良多还要再说些什么，绿已经哭出声来。

"……可是，你那么忙，完全就……所以我才心里没底，想着最好是我母亲方便来往的地方呀。"

良多把到嘴边的话咽到肚里，别过脸去。

"我……"

绿一边流泪，一边拿着相册开始对比照片。

"……为什么就没察觉呢……我，明明是孩子的母亲！"

绿呜咽着泣不成声。

带着土特产去庆多的朋友家接人的时候已经过了傍晚六点。

良多和绿都下定决心要跟平常一样，但果然还是无法保持"平常"的状态，反倒表现得有些"亢奋过头"。

终于庆多睡着了，两人静静坐在床上，一遍又一遍地审视着孩子的脸。

寻找着相似之处——寻找着不同之处——

有泪珠滴在庆多的脸颊上，那是绿的眼泪。

绿轻轻拭去庆多脸上的泪珠，缓缓擦去庆多嘴边残留的牙膏泡沫。

良多则一直凝视着庆多熟睡的脸庞。

仿佛要看穿这孩子的小小身躯，看透这小小身躯里流淌的"血脉"。

4

　　良多驾车飞快地穿行在首都高速公路上。车的后座上，绿正和庆多玩着文字接龙的游戏。两人玩得很投入，已经持续了将近三十分钟。

　　良多穿着一套西服。绿纠结了许久是不是也应该穿个套装，但最终还是往身上套了件颜色稳重的毛线上衣。

　　他们已经买好了送给岳母的伴手礼，而要送给对方家庭的礼品却纠结了很久，最终什么也没买。

　　车开过了首都高速公路，进入关越机动车道，朝前桥的方向驶去。良多一边驾着车，一边看着前车窗外一望无际的蓝天，想起了庆多出生时的事情。

那天，自己带着连续几天睡在公司、最后彻夜加班加点完成的资料赶去参加设计大赛，大赛一结束就马不停蹄跳进车里飞奔向前桥。当时也是个碧空万里的大晴天，梅雨刚过，还有些炎热。

车窗外不断闪过的景色，让他回忆起那天他是何等的兴高采烈。与今天截然相反。

下了前桥的立交桥，他们便停在了路边的休息站，顺便去趟洗手间，稍事休息。

三人去完洗手间，走回车子的半道，庆多突然说要一个人去给大家买果汁。

良多要的是无糖咖啡，绿要的是牛奶咖啡。

庆多说要爸爸妈妈回车上等，良多和绿便坐回车里，远远地看着庆多独自在自动贩卖机前买东西的身影。

庆多不紧不慢地把钱放进机器，慎重地选着饮料，慢吞吞的，叫人有些焦急。他总算取出两瓶来，但似乎有点烫，便放了一会儿没用手拿。又过了一会儿，他抻长了毛衣的衣袖把手裹住，这才终于从出货口把饮料拿了出来。

这是良多第一次看庆多独自去"购物"。

庆多把自己的橙汁塞进口袋，两手抓着父母的饮料，跑回车里。

绿一打开后车门，庆多就把饮料罐扔到了垫子上，似乎很烫手。

"妈妈是牛奶咖啡，爸爸是无糖咖啡。"

"Thank you！"（谢谢你！）

良多道了谢，拿起了饮料罐，着实是很烫手。他连忙打开，刚要喝，坐进车里的庆多指了指自己的毛衣胸口处。

"爸爸，看这个。"

看着像个胸针，原来是知了蜕下的壳。

"知了？"

"嗯，在那儿看见的。我敢摸它啦。"

知了蜕壳的季节已经过去。这只壳大概是夏天蜕去之后，一直没被任何人发现，静静地躲在自动贩卖机的阴影处吧。

庆多是个极怕虫子的男孩。而良多却喜欢虫子，小时候但凡看见大一点的石头，必定要拿起来，非要看看下面有没有虫子不可。

自己以前还曾取笑过怕虫的庆多。那是去年夏天的事了吧，不对，难道是前年的夏天……

虽说不过是个蜕下的壳，庆多却为自己克服这个障碍很是骄傲。可如今，良多却无法坦然地为他开心，千头万绪都堵在心口。

"来干杯吧。"

良多提议道。庆多把橙汁的盖子打开了。不知从什么时候起，他已经可以自己打开瓶盖了。这是良多的又一个发现。

干杯的理由是为了庆祝庆多通过考试。跟庆多早已说好，今天从幼儿园请假去前桥，是为了把合格通知书给"外婆和菩萨"看看。

"干杯！庆多，祝贺你通过考试！"

良多和绿一齐欢呼着和庆多干杯。

良多一次也没带庆多去过自己的老家，倒是绿的娘家那边去得很勤。每逢盂兰盆节、岁末年关以及黄金周之类的长假，即便良多没法同去，绿也会跟庆多两个人回去。几年前父亲过世之后，母亲里子过上了独居生活，一个人活动起来很是方便，于是一有机会也会来东京玩玩。因此，庆多跟她也很亲近。里子今年六十七岁，是个性格爽朗、说话不喜欢拐弯抹角的女性。这跟什么事都缩手缩脚的绿形成鲜明对比。当初良多对两人性格的差异也感到困惑不已。不过，自己经常因为工作不在家，代替自己照顾绿和庆多的正是里子，所以良多对她是万分感激的。

寒暄得差不多时，良多和绿便将庆多寄托在里子这里，开车前往前桥中央综合医院。

良多二人比约定的时间提前了二十分钟抵达前桥中央综合医院，随即被带到会议室。今天是与抱错孩子的另一方父母的第一次会面。

距离约定的时间已经过去了五分钟，事务部长秋山有些慌神了。

"我去看看。"说着他拿起手机走出会议室。

一同出席的织间律师连忙道歉道："您这么忙，实在抱歉。"

最终，对方在迟到十五分钟的情况下出现了。还未见人，便听见会议室外传来一个高声说话的声音。

"好像已经来了呢。"

织间站起身来，打开了会议室的门。

"我明明昨天就说了要加满油的，真是的。"

走廊传来一个女人怒气冲冲的声音。

"我不是说了嘛，工作休息的空当把车借给阿翔啦。一般不都会加满油还回来的嘛，你不觉得吗……"

答话的男人说话夹杂着关西口音。大概是这个原因，明明是在跟妻子顶嘴，却总觉得哪里透着点可怜兮兮的滑稽。

只看了一眼这对吵吵闹闹着走进会议室的夫妻俩，良多那形状极好的眉毛便微微皱了起来。

良多紧盯着进来的那男人的衣着。皱皱巴巴的花纹衬衫，配上一条全是褶子的奇诺裤。衬衫外披着一件夹克，由于长期日照的缘故，已经褪了色。鞋子是一双穿旧了的运动鞋。整体让人感觉很不协调。他的头发乱糟糟的，长得几乎把整个脖子都盖住了，看样子就没有梳理过。不管是他那点头哈腰走进房间的模样，还是翻着眼睛看人的态度，都让良多嗤之以鼻。

那位妻子用一句话来形容，是个不折不扣的美人。大眼睛，小脸蛋。修长的身材，穿着一件黑色西服，只不过衣服是化纤材质，一看便知是便宜货。良多心想，这该不会就是她的"礼服"了吧。她身上有一种曾经是不良少女的气质。头发倒并没染成金色，但她就是有这种气质流露出来，良多如此判断着。

"不好意思，让大家久等了。出门的时候，这女人又说那件毛衣不行啊，这个那个的……"

男人一边嘴里碎碎叨叨地说着迟到的理由，一边不停点头哈腰，站到良多的对面。

"你好。"

与男人不同，女人倒是大大方方的。嘴里打着招呼，两眼直视着良多和绿。

良多站起来回了一礼。

"这位是斋木先生。"

织间律师介绍道。

"哎呀，这都什么跟什么啊……简直是晴天霹雳……"

也不做自我介绍，便开始絮叨起来的这位是斋木雄大。良多心里猜测他大约五十来岁，实际却只有四十六岁。

"我老婆，由佳里。"

一旁的妻子低头见礼，依旧是不卑不亢。良多可以想象得出，毫无疑问，这位妻子掌握了家庭事务的主导权。转念一想，这位厉害的太太也太年轻了，但实际她已三十二岁，比绿还大上三岁。

"那么，这位是……"

不等织间介绍，良多便自报家门道：

"我是野野宫。"

行了一礼后，又介绍身边的绿。

"这是我的太太野野宫绿。"

绿全身都缩成一团，只是勉强鞠了一躬。

良多掏出早已准备好的名片递给雄大。

"野野宫良多。这是我工作的地方。"

雄大也掏出塞在裤子后袋里的钱包，钱包是布做的，旧得已经变了形。打开钱包时刺啦作响，雄大从钱包里拿出一张名片。薄薄的纸片上写着"茑屋商店斋木雄大"，往上一排写着"电器的医生"。印上去的字已经花了，是直接用电脑打印出来的。

"我在前桥开了家电器店。"

交换过名片后，双方各自落座。

并排坐在良多右边的是织间和秋山，两人又重申了一遍对此事的"歉意"。随后，织间向两家人问道："各位都带照片了吗？"

两家人分别把照片摆在桌上。

"这是庆多。"

"这是琉晴。"

良多准备的是为了入学考试特意在照相馆照的照片。身穿黑色制服的庆多，大大的眼睛直视着镜头。

另一方，雄大拿出来的是一个男孩穿着泳裤在水池嬉戏的照片。男孩晒得黑黝黝的，笑得十分开心，可惜阳光太强，一只眼睛眯了起来。而且像素也太低了，对焦也没对好，导致照片十分模糊。再加上照片似乎是直接用自家的打印机打出来的，更加模糊得厉害。

"这张照片是今年夏天去 New Sunpia（新所皮亚）玩的时候拍的。"

雄大指着照片解释道。New Sunpia 是高崎的一个休闲度假村。

良多把照片拿在手里凝神看着。绿也从旁边凑过来看。不过照片还是太不清晰了，完全看不出来像两人中的哪一个。良多和绿对视了一眼，都歪了歪头表示看不清楚。

"就没有照得清楚点的吗？"

良多不满地抱怨着。雄大慌张起来，忙从夹克衫的口袋里掏出手机开始摆弄起来。

“啊，这个。”

雄大把身体靠向桌子，把手机屏幕拿给良多看。

小小的屏幕上播放着一段录像。孩子们正嬉闹成一团。当中笑得格外响亮的那个似乎就是琉晴，很有特点的高声大笑的声音。

“……这是哪里来着？”

雄大把脸朝向妻子。

“乌川。”

由佳里没好气地回答。

“啊，对，乌川。现在这一带还有白点鲑、山女鳟什么的。可惜上流有计划要建水坝……”

雄大突然闭了嘴。由佳里一个眼神便让他服帖了。

“啊，这个，就现在，挥手的这个。然后在下边打滚的是弟弟大和，旁边一直在哭的是妹妹美结。”

一边挨个说明，雄大一边喜笑颜开，仿佛沉浸在拍摄时的回忆之中了。良多看他如此轻浮，想到今后要跟这样的人交涉，心情就沉重起来。

绿凝神观察着手机屏幕中一直活蹦乱跳的孩子们，却还是看不清脸。

“生日是？”

由佳里一边看庆多的照片，一边问绿。

"七月二十八日。"

"啊，同一天。"

由佳里喃喃自语着，夹杂着叹息。

"我们会不会在这里见过呢？"

由佳里目不转睛地看着绿。绿似乎有些畏惧这目光，回答的声音小得几乎听不见。

"生完孩子我身体就垮了，一直昏睡不醒……"

绿的声音越来越小，最终消失了。最后，她叹了口气。叹气的理由，只有良多明白。

"那天天气特别好。我们俩还说，就像是冲绳的夏天。所以才取了琉球的琉字，晴天的晴字，写作'琉晴'。"

雄大满脸都是欢喜的神情，娓娓讲述着名字的由来。绿刚想着，自己是不是也要说说名字的由来才好，事务部长秋山却像阻止他们继续交谈一般插嘴道：

"总之，在这种案例中，双方父母最终百分之百都会选择'交换'。"

此言一出，野野宫和斋木夫妇都齐齐看向秋山。这意思是没有可选择的余地了？就像突然被盖棺论定了，所有人都是满脸的困惑。

秋山紧接着说道：

"考虑到两个孩子的将来，我觉得还是早做决断为好。可以的话最好是小学入学之前。"

"突然就要求我们交换，哪里能那么容易？"

绿颤抖着声音，不满地说道。

"就是。四月？岂不是半年都不到了。"

由佳里也附和道，比起绿来，她的声音更低沉，也更坚定。

一旁的雄大也微微垂着头发牢骚。

"又不是阿猫阿狗……"

这句话招来了由佳里的激烈反对。

"就算是阿猫阿狗也不行！"

这气势汹汹的劲头，吓得雄大手足无措。

"就是！就算是阿猫阿狗也不行呀，再说了……"

一边说着，雄大一边偷眼瞧瞧妻子的脸色。由佳里微微点了点头。果然如良多所料，这家的老大就是由佳里。

得了妻子的首肯，雄大便放心大胆地继续说下去。

"再说了，说这些话之前，你们是不是要有所表示？"

这是提出要赔偿金了。良多一言不发地盯着雄大的脸。在这种场合下，医院方面不可能会给出一个赔偿金的数额，倒是很容易让人抓住弱点：这家伙原来是想要钱啊。

最令人不快的是，他们就不觉得这是要拿儿子来卖钱吗？

"是的。"

秋山看向雄大。

"所以，刚才我跟这位律师也商量了此事。"

随即，织间把手放在桌上点头示意。

"作为父母来说，您的这种考虑也是合情合理的。只是，现在还是先为两个孩子的将来考虑考虑。大事化小，尽量不要惊动媒体……"

这种套话根本毫无意义。良多一边听着，一边开始思索着究竟要怎么做才好。

和医院方面沟通了好几个小时，果不其然，没有得出任何结论。来来去去就是些谴责医院失职的话，秋山对此束手无策，织间则忙于从中调和，这种形势下的沟通无疑是陷入了死循环。

医院方面大概也不好中途喊停。良多便抓住一个时机，提出今天到此为止。

事务部长秋山和织间在门口行着最高规格的敬礼，把良多一行人送走了。

良多一边留意着门口的两人，一边小声地跟走在身后不远处的雄大和由佳里商量。

"不如再见一次面？不要医院的人在场。"

"嗯，是啊。"回完这句，雄大两眼看向由佳里，又加了一句。

"我们也想见见庆多。"

良多点点头，从西服口袋里掏出车钥匙，给车门解了锁。

"那么我们之后再联系，安排一下时间。"

"行。"

两家在停车场各自坐上自己的车。

斋木家的车是一辆小型汽车，货车样式，款式有些年头，车身上印着"茑屋商店电器医生"的字样。

一坐进车里，坐在副驾驶位的绿就放声大哭起来。

等她平息了些，良多才启动车。

绿的老家，是一座建成后已经历了四十年风雨的纯日式平房。母亲里子在家里开了一个编织教室。归功于里子的定期打理，这间老房子保持得相当漂亮。不仅仅是外形，室内的清洁也做得非常彻底。要说这里唯一的问题就是房子实在太大了。里子逮着机会就大发牢骚：打扫起来可真是要老命了。以前住得最满的时候，除了绿一家人，还有祖父母和伯父伯母全在这里，一共十人一起生活。即便是那时都从没觉得拥挤过。这间宅子里可是分出了六个房间。

车子开进前庭，车轮压过砂石沙沙作响。听到动静的里子很快就从门口探出头来。

"哎呀，这么晚呀。"

良多从驾驶座上下来，听到里子这话便道歉道：

"实在不好意思。"

里子摇摇头，把良多领进家里。

"别放在心上。反正我一个人也没什么事干。话说，怎么样？那家人呢？是什么样的人？"

里子连珠炮似的发问，看来也是很紧张这事。

"开电器店的。"

良多的回答显得有些冷淡，他把手里的土特产包装袋递给了岳母。

"这个，刚才糊里糊涂的，忘记拿给您了，真不好意思。"

"哎呀，好棒。是'虎屋'呀。这重量，看来是羊羹吧。"

"猜对了。"

里子特别喜欢日式点心。虽说经济上并不拮据，她却经常念叨，现在自己一个人过日子，就不好买昂贵的东西享用。

里子拿着羊羹欢喜得手舞足蹈。

"讨厌啦，妈妈。不过是羊羹罢了，太丢人啦。"

绿责备起母亲来，刚才的眼泪已经翻篇了。

"竟敢说'不过是羊羹罢了'。你可要惹得老虎发怒了，嗷呜——"

里子跟庆多玩了一天，似乎心情也跟着返璞归真。

"别闹啦。庆多怎么样？"

里子用手指了指里面的房间，是平常来人留宿时住的房间，拉门已经关上了。

"一直在一起玩游戏。然后庆多累了，一下子就睡着了。外婆我明天就要腰酸背痛咯。"

里子一边说着，一边朝厨房走去。

良多和绿轻手轻脚地拉开门，往里瞧了瞧。庆多在铺好的被褥里睡得正香。一股新换的榻榻米的清香瞬间袭来。

两人坐在枕头边，凝望着庆多熟睡的脸蛋。

某个瞬间，绿突然想起了事务部长秋山的话——"百分之百""交换"，眼泪便又要溢出来了。

良多没注意到这些，开始摆弄起手机来。

"那个医院，不知道有没有因为医疗过失什么的被起诉过？"

调查对方的失误是非常重要的一项工作。这在交涉的过程中将成为己方有力的证据。可惜搜索了好久什么也没搜出来。

绿紧盯着庆多熟睡的脸蛋，又呜咽起来。

"喂——"

良多出声道。两眼的神色仿佛在说，振作点。似乎在良多看来，战争已经打响。

"对不起。"

绿捂着脸跑出了房间。没错，必须要振作起来，只会哭哭啼啼也是无济于事。

起居室里不见里子的身影，厨房深处的佛堂里亮着灯。

绿走过去一看，里子把羊羹供在佛龛前。羊羹的旁边摆着庆多的录取通知书。

绿走到佛龛前，坐在里子旁边，拭去眼泪。

"事到如今了，我才敢跟你说。"

里子小声对绿说。她并没有因为女儿的眼泪而动摇，似乎早已习惯了女儿的哭哭啼啼。

"大概是前年左右吧，隔壁山下的奶奶，她看到庆多的时候就说过'不像爸也不像妈呀'。"

里子上了香，双手合十。之后她又给绿也递了一把香。

绿用纸巾揩了揩鼻子，随后给佛龛上了香。

"再说，良多……"里子回头看了看，确认良多不在之后，才压低声音说，"我们家跟良多家也说不上门当户对，也确实是有些那什么。那个，结婚之后也发生了不少事吧，各个方面。"

交往之后两人有那么一次，也只有那一次闹得很凶。良多在没有和前女友分手的情况下，开始与短期大学毕业后刚进入三崎建设工作的绿交往。知道绿怀孕之后，两人起了争执。良多的前女友也是三崎的职员，工作年限也比绿要长。当时她甚至在公司里面指着绿的鼻子一顿大骂。

结局是良多跟那个女人分手，跟绿结婚，只可惜最后绿的孩子还是流掉了。

从那以后，她就时不时从以前的同事那儿听到一些风声，说良多跟子公司的女职员十分亲密云云。不过每次风声都只是停留在半真半假的谣言层面。到庆多出生之后，就连这些谣言也烟消云散了。

"已经稳定下来了……"

绿答得很干脆。以前的事，光想想都觉得难受。

"不过，这世界上看你们俩不顺眼的人还是很多的。那种'怨念'呀……"

里子时不时就爱扯些超自然的灵异话题。绿流产的时候，也说是那个女人的"怨念"害得她流产的。

"别说啦，又不是因为被人憎恨才会发生这种事……"

绿已经泣不成声了。

"呀，真的是。唉……"

里子也不想让女儿难过，只是一时没管住嘴。

里子把手放在兀自哭泣的女儿的背上，缓缓地、轻柔地抚摸着。

由于五天后有设计大赛，良多二人当天就没在前桥住下，直接把熟睡的庆多抱上车，回东京了。

走的时候，里子难得一脸正色地跟良多说了声"就拜托你

了"。良多回了句"我知道"。其实，他根本就不知道接下来到底
该怎么办。

　　第二天是周六，一大早良多一到公司，就连忙确认昨天的进
展情况。不过，似乎担心是多余的了。不仅工作按部就班地进
行，部下们甚至还比原定计划提前推进了工作进度，算得上十分
顺利了。

　　良多形单影只地待在清晨的办公室里，自嘲地苦笑着：看来
是波留奈起了很好的领导作用。

　　波留奈刚进团队的时候，良多早已做好会起个两三回冲突的
心理准备。不过出乎意料的是，波留奈把全部精力都放在了工作
上，这反而让良多有些沮丧了：这是个完全不会沉溺于过往恋情
的女人啊。明明分手的那会儿反应那么激烈。但话说回来，波留
奈确实很能干。在同期进公司的一批人中她应该算是最出挑的。
可能正因为如此，所以她既没有想要碎裂的爱情破镜重圆，也没
有想要借机报复。或许她只是单纯地希望：既然进了公司最好的
团队，那就把工作做到最好。

　　事实也是如此，她作为团队的二把手，处处辅助良多，更不
曾拖过他的后腿。

　　良多觉得，现在家里这情况也应该跟波留奈说一下才好，
往后请假的情况只会越来越多。虽然想象不出来波留奈会对这

件事做出什么反应，不过要渡过这个难关，她的协助是必不可少的。

当然这事也必须跟部长上山汇报，不过还是等设计大赛结束后，找个合适的时间再说比较妥当，良多在内心做了判断。

不过良多这个计划却意外夭折了。还没等良多跟波留奈解释"抱错孩子"的事，某次跟上山部长碰面的时候，就被部长问及"是不是有什么事？"，看来上山部长已经注意到了，良多近来总提前下班，休息日上班的时间也少了。

光凭一身过人的胆量是成不了大人物的。上山也不会放过对细节的把握。

良多被问的时候是在公司的走廊。一看他一脸的难以启齿，上山立即约了间会议室，把他叫了进去。

上山花了很长时间仔仔细细地听良多把事情说了一遍。说他不是亲人胜似亲人也毫不为过吧。当然，良多并没指望部长给自己拿个主意，他只觉得光是有个人听自己说说，心里已经轻松不少了。

"想必很辛苦吧，我也替你想想办法。"

上山最后的这句话，让良多十分心安。

之后，他把全部身心都投入到设计大赛中，惊涛骇浪般的五天又过去了。波留奈忙得杀气腾腾，良多亦分身乏术，抱错孩子这事也没时间解释，就这么过去了。

设计大赛会场设在主办方——某大型不动产公司的一间巨大的会议室，大约有七十多人围坐在一个大型椭圆桌子的周围。半数左右是客户不动产公司的人，另一半则是准备汇报的人，职员分别来自五个大型建筑公司。

良多团队的汇报排在第五。事到如今良多已经可以完全放手。负责汇报的人是波留奈。选她不光是因为她相貌出众，也因为她的说话风格轻松，措辞精准，就像女播音员。另外也有两家公司启用了女性来进行汇报，不过波留奈的表现依旧十分出彩。

"在此，我满怀信心，向各位介绍 The Spiral Tower（螺旋塔）。"

波留奈的声音响彻整个会场，这声音充满力量。她话音刚落，会场的照明瞬间暗了下来。

会场正面的巨大显示屏上投影出了 CG 画面。

会场一变暗，一旁坐着的上山便悄声问道：

"还是那什么吗？要打官司吗？"

说的是抱错孩子的事。

"嗯，我想是的。"

"真是飞来横祸啊。没问题吧？"

上山的话让良多敏感的内心一动。他感觉到上山的话里有对
下一个项目的担忧。下一个项目是其他团队受挫搁置后被他接手
过来的，比这次更加难以攻克。

"没问题，我会好好处理，不会影响工作。"

闻言，上山却摇摇头笑了。

"比起这事，你想好要怎么办了吗？交换吗？"

"这个……"

良多没法回答上山的提问。他只顾没头没脑地忙工作，根本
无暇考虑这件事。或许，真正的原因是不愿意去想，才故意一门
心思扑在工作上吧。良多只是在逃避。

上山把脸凑到良多的耳边。

良多不由期待起来。他有一种直觉，上山一定有什么主意。

上山在良多耳畔轻声说道：

"索性两个都争取过来。"

上山的建议让良多如坠冰窟，一时间陷入僵直。这建议太出
乎意料了。他根本连想都没想过。

"两个……"

良多只是喃喃地复述着。

"好主意吧？"

上山意味深长地笑着，良多注视着他的脸，这笑容堪称魅力

无穷，饱含一个在修罗战场杀出重围的男人的铁血智谋。

上山的建议叫人越想越动心。庆多就如常抚养，再将琉晴也一并抚养了。如此自己就毫无损失。虽说有点"贪心"，但考虑到斋木家的经济状况还有孩子的数量，倒也不是谈不拢的条件。如果一定要说良多要失去什么，那就是要给斋木家的钱了。这当然也不能称之为"赔偿金"吧。那是否应该按照迄今为止的入托入园费来计算呢……这块的金额还是跟律师商量比较妥当吧。那就找那家伙商量。听说他挺忙的，不过是我拜托的应该不会推脱。看来很有必要拿出一个让斋木家感恩戴德的数字来。不过，不管怎样，真要交涉起来，感觉对方也不是很难缠的对手。

而这个建议最让良多动心的地方，是上山这个建议背后透出的"大气"。这是关系到身为一个人，一个成年人，一个男人，一个领袖的胸怀问题。这正是气吞天下、海纳百川的"大气"。

良多终于找到了应该前行的方向，不由得发出绝地重生的感叹。

　　绿问起"十二月中旬的周六如何？"的时候，良多有一瞬间没能反应过来，过了一会儿才终于明白说的是跟斋木家见面的事。第一次见面之后，对方马上就询问，下周的周末如何。

　　不过，那时良多怎么都抽不出时间来。其实良多也想马上见面。自从上山给了那个建议后，良多的心情就轻松多了。

　　只是工作让他几近崩溃。设计大赛虽然结束了，但马上又投入了下一个项目的交接工作。本就是个触礁搁置的项目，而那个需要把问题一一筛出的关键人物却不见踪影。貌似是因为项目之前停滞不前，导致原来的团队领导抑郁症发作，没法来上班了。

无奈之下，良多跟波留奈商量之后，决定全部推翻，从零开始重启这个项目。要把原来的团队耗时半年才做出来的东西在短短几周内进行重建，可谓是难于上青天了。

尽管如此，进入十二月之后，项目的整体轮廓还是做出来了。

"行啊。是十五号吧？还是我们去他们那边比较好些吧？如此一来，就得花上整整一天的时间了。"

良多如此心情大好地同意休假，让绿很是吃惊。本来预想定然要惹得他不高兴，这才纠结着难以启齿，看来自己是白担心了一场。

绿猜想，良多虽说过下一个工作会很忙，但因为设计大赛的结束多少还是解放了一些。尽管时间短暂，好歹也在同一家公司工作过，虽说绿只是负责些杂活，但对于公司的内部情况还是略知一二。

第二天一大早，绿就给斋木家打了电话。接电话的是妻子由佳里。绿跟她说了周六自己会去前桥的事。绿问去哪里会面，由佳里指定了前桥郊外的一个大型购物中心。绿原本设想会在带单间的餐厅会面，听到这个建议不免十分意外。可由佳里说，一起去那里吃个饭，大家轻轻松松见个面。

听到"轻轻松松"这个词，绿有些无语，但还是马上同意了。

确认好时间和集合地点，挂断电话，绿的脑海里立即闪现出良多的脸。那张脸很不高兴地皱成一团。

购物中心占地之广是市中心那些购物店无法比拟的，停车场也很大。但适逢年末，购物的顾客熙熙攘攘。从停车场的泊车位到购物中心，良多等人不得不走上好长一段距离。

指定的会面场所是一个叫"花之广场"的地方，位于一座五层建筑里的一层。中央有一棵巨大的人造冷杉树，装点着圣诞节的饰物。几条长椅上，购物逛累了的人们正坐着休息。

这其中，良多和绿就并排坐在一个蘑菇造型的长椅上。良多没有穿西装，而是穿着一件简单随意的藏蓝色夹克衫、一条牛仔裤。绿穿着一件浅绿色的小外套，搭配一条黑色的宽松长裤。

庆多则在这条长椅的正后方发现了一座小型森林玩具，正在独自跟脑子里幻想出来的妖怪们游戏。

"为什么他们会迟到？不是说从家出发到这儿只要十五分钟吗？"

良多自言自语地抱怨着。

仿佛没听到良多说话一般，绿自顾自地叹了口气，似乎已经心力交瘁。

"怎么了？你不想见吗？我们的亲生儿子……"

绿摇了摇头。

"不是，只是照这样逐步发展下去，感觉真的要变成医院所说的那样……"

绿说着又掉下眼泪来。

"这个嘛——"良多却异常愉悦地说，"交给我吧。"

良多心中充满自信。尽管他一直都是这般自信的，但此次的问题毕竟不是迷个路这种程度的问题。绿被这种能将一切都托付给丈夫的轻松感所诱惑，但同时，她的内心深处却又隐隐敲响了警钟。

"对不住……"

耳畔传来有些耳熟的雄大的关西腔。循声望去，雄大身着一件有些夸张，混杂着红色、茶色、白色的格子羽绒服，下身依旧是前几天见过的奇诺裤和运动鞋的组合。他正催促着一个男孩跑过来。

晚雄大几步的妻子由佳里手里牵着一个小女孩，一边朝身后一个更小的、走路摇摇晃晃的男孩说着话，一边朝这边跑来。

"哎呀，都要出门了，这家伙又噼里啪啦讲了半天……"

看着跟前几天一样不停找理由的雄大，良多苦笑不已。

由佳里一巴掌拍在走在后边的小男孩的头上。

"都说了叫你快些走！"

被拍了一巴掌的小男孩倒是笑嘻嘻的，看到这一幕的绿却吃惊不小。至少绿的身边都没有哪个母亲会用这么大的力气拍打年纪这么小的孩子的脑袋。

接着，在雄大的催促下，一个大一些的男孩子朝绿和良多打了招呼，自报姓名。

"我是斋木琉晴。"

声音洪亮，中气十足，这气势倒把良多等人都给镇住了。

不光如此，紧接着那个看似连纸尿裤都没脱的小男孩也口齿清晰地打招呼说："我是斋木大和。"接着，被由佳里催促着，那个四岁左右的女孩也小声地说道："我是美结。"

良多把躲在绿身后的庆多推到身前。

"来，打个招呼。"

"大家好，我是野野宫庆多。"

虽然没有琉晴那般大大方方，但庆多还是超出预料地大声打着招呼。良多心想，这还是考前补习班的功劳。

"嗯，你好。"

雄大回应了庆多的问候，满脸都是笑意。良多心道，真是个喜欢孩子的人，但随即又改变了想法。毕竟是第一次跟自己的亲生儿子面对面，单单用一句喜欢孩子来评价，未免太肤浅了。

"要不，先吃点什么去？"

雄大说着就一马当先快步朝前走了。他大概是这里的常客吧。

雄大领着大家去的地方是一个儿童乐园。那是一个随处可见的室内游乐场，场内都是游乐设施。放着超多海洋球的巨大塑料池子，还有可以让孩子们钻进去嬉戏的圆筒状的塑料充气垫等。游乐场旁边设有一个快餐柜台。

由于是快餐，这里也仅仅提供炸薯条、热狗、爆米花、冰激凌这些东西。一股油炸食品的油腻气味扑鼻而来。良多一行已经在岳母家吃过午餐，见此不由松了口气。他们平常都极注意不让孩子吃垃圾食品，因此只需要点上点喝的。但喝的东西也尽是些平常不怎么给庆多喝的玩意儿。汽水的展示品呈现出毒死人一般的夸张色彩，宣称是百分之百纯果汁的橙汁也来自绿听都没听过的厂家。不过，非要选合成色素放得比较少的话，这已经是最佳选择了。于是给庆多点了这种橙汁，良多和绿各要了一杯冰咖啡。

虽说都过了中午一点了，斋木一家子似乎还没吃上午餐，于是买了多于人头份的热狗和薯条等一大堆东西。而且，每人都点了可乐。不过大和年纪太小，还是给点了橙汁，但美结还是喝可乐。

"先给您饮料。"

柜台里的店员把一大堆饮料放在托盘上端了出来。

由佳里手脚麻利地走上前，轻轻松松把装得满满的托盘端了起来。还抽空训斥了从托盘里抢了自己那份可乐拔腿就跑的琉睛，"别跑，琉！"声音之大，完全不在乎周围的人怎么想。这又让绿吃了一惊。

"点的食物我们之后会叫您的号码过来取。这是牌子，三号。"

良多接了店员递过来的牌子，又转交给了绿。绿带着庆多随着由佳里离开。

此时，就剩下两个大男人。

"比平常稍微奢侈了些呢。"

说着，雄大脸上浮现出不好意思的笑容。

"六千三百五十日元。"

店员报了价格。

良多刚拿出钱包，雄大就说着"这个没关系"，一把将良多拦住，自己掏出了钱包。

"麻烦给发票，抬头就写'前桥中央综合医院'。"

所以才会"比平常稍微奢侈了些"吗？良多暗自叹了口气。

光这还嫌不够。雄大又猛抓了四袋放在柜台上的小零食，递给店员，说道："这些也一起算。"店员重新操作着收银机，把这笔钱也加到发票里。

这有失体面的模样，令良多感到一丝厌烦。

良多时不时看一下手机。儿童乐园传来的孩子们的嬉闹声盖过了手机的邮件提示音。今天是设计大赛的结果公布的日子，部

下都在公司等着成败与否的通知，约好了一旦确定结果就立即给
良多发信息。公司里要干的活堆积如山，不管这次设计大赛的结
果如何，为了犒劳部下，于情于理他都应该请部下出去美餐一
顿。不过，这个任务他托付给了波留奈，已经指示过饭钱以良多
的名义开发票就好。但抱错孩子这件事，他至今都没有跟波留奈
讲，也始终都找不到两个人好好谈谈这事的时机。

可是果真如此吗？良多也曾在某个瞬间扪心自问，这些不都
是借口吗，难道不是因为不知道她会如何反应而害怕去面对吗？
但很快他就否定了这个想法，将之从脑海中抹去。

良多一边假装在摆弄手机，一边偷眼瞧着正坐在旁边桌子
上吃热狗的琉晴的侧脸。他一边看一边跟映在手机屏幕上的自
己的脸做比较。说不上有多么像，不过，总觉得那张清爽、干
净的脸在哪里见过。不是哥哥，也不是父亲，但是确实在哪里
见过这张脸。

斋木一家和野野宫一家坐在相邻的桌子边。斋木家的孩子吃
东西很快。庆多的果汁还没喝到一半，琉晴已经把热狗、薯条、
爆米花一扫而空，又去扫荡妹妹美结剩下的热狗。

跟庆多一比，琉晴身高高过他将近十厘米，体格也要大上一
圈，十分结实。斋木家夫妻二人都是瘦长身形，从体型来看，果
然庆多还是纤弱了些，跟斋木家相像。

"庆多喜欢吃什么食物呢?"

由佳里从隔壁桌子探过来跟庆多搭话。

"炸鸡块……"

刚要答,庆多突然有些难为情地低下头。

"炸鸡块?"

"不是。是妈妈做的蛋包饭……"

庆多慌忙改口,绿制止了他。

"不要紧,已经不要紧了,就说炸鸡块。"

听着这对话,由佳里露出一副不可思议的神情。

"之前参加入学考试,作为应试技巧,得说是亲手做的蛋包饭。"

良多一说明原委,由佳里就笑了起来。这笑容让良多很不舒服,像是在嘲笑。良多突然有种冲动,想要告诉对方自己为了这入学考试,在庆多身上做了多少投资。然而,最终还是忍住了。

由佳里接着对庆多说:

"阿姨呀,也是超喜欢炸鸡块的。别看我这样,做饭可是很拿手的呢。"

一旁的雄大就笑着打趣道:

"这我怎么不知道呢。"

由佳里用手肘戳了雄大一下。看起来用了不小的力气,雄大的脸都皱成了一团。

"怎么说也不能在这场合让我丢脸吧。"

雄大也不追究由佳里的反击，却跟绿告状。

"她就只会包个饺子呢。"

"那还不是因为你喜欢吃呀。以后可再不给你做了。"

这回，由佳里直接一巴掌拍在雄大的头上。绿心想，这两夫妻就像关西夫妻漫才①组合似的。

"琉晴喜欢吃什么呢？"

绿询问道。琉晴一把抢过弟弟的爆米花，一边往嘴里塞一边回答：

"日式牛肉火锅。"

绿吃了一惊，瞅着良多说：

"一样呢。"

良多、雄大和由佳里一时都怔怔无语。两个孩子的培养环境有着天壤之别，并没有什么必然性会导致喜欢相同的东西。此时，不得不让人意识到"血缘"的神奇之处。

琉晴毫不在意大人们的突然沉默，他快速地喝完剩下的可乐，跑到庆多的跟前问道：

"去玩吗？"

琉晴说话似乎受到了父亲的影响，带着些关西腔。

庆多看看良多的脸色。良多一点头，庆多马上就跟着琉晴一

---

① 漫才是日本的一种站台喜剧形式，与中国的对口相声相类似。

起跑进游乐设施玩了起来。

"把美结和大和也带去玩。"

由佳里冲琉晴说。弟弟和妹妹便也马上追着哥哥的脚步去了。琉晴忙着把弟弟妹妹们扶上游乐设施。一旁，庆多开心地笑着看着。没多久，四个孩子就如老朋友一般欢声笑语地玩作一团。

"孩子长起来可真快。"

看着孩子们嬉闹的身影，由佳里叹息着喃喃自语道。

良多却在注视着插在琉晴喝过的可乐瓶里的吸管。吸管被牙齿咬得彻底变了形。吃饭的礼数可绝算不上得体。桌上被吃得掉落下来的残渣弄得脏乱不堪。

"不过，能拿多少呢？所谓的赔偿金。"

雄大突然没头没脑地开口道，脸上浮现出嘲弄的笑容。这人大概根本没明白问题的严重性吧，良多对雄大的鄙夷表露无遗。

"谁知道呢？事到如今比起操心钱的事，不是还有更要紧的事吗？到底为什么会发生这样的事情都还不明白……"

良多忍不住脱口反驳雄大。明知道现在跟斋木家撕破脸并非上策，但他还是控制不住。

"那个嘛，你说得也是……我当然也明白……"

当面被这样责难，雄大有些语无伦次了。

由佳里立即直言不讳道：

"不过，这可是对方提出会把诚意落到实处，说的不就是拿钱这回事吗？"

话是没错的。面对着赤裸裸的现实言论，良多的话听来就显得冠冕堂皇了。

"就是啊。就是这么回事，对吧。"

雄大随即附和由佳里。

良多思忖了一会儿，眼睛却紧盯着由佳里。

"你那边可有相熟的律师？既然说到赔偿金，我想就有必要请律师了。"

绿在一旁胆战心惊地听着良多说话。这是良多想要占据上风时的语气。不，确切地说，应该是对被由佳里说得哑口无言的回击。

由佳里和雄大都默不作声。良多的计划成功了。

"那么，律师的事就交给我吧，如何？大学同年级的校友有个关系还不错的。"

良多这炫耀般的言语充斥着挑衅的意味。雄大不知该如何回答，便盯着由佳里的侧脸看。由佳里没看雄大，两眼直视着良多。

"那就，拜托了。"

由佳里低下头，雄大也跟着一块低下头去。

良多心满意足地点点头。

"爸爸——"耳边传来呼喊声。

朝孩子们的方向望去，只见琉晴正在招呼父亲，大幅摆动着手。

"好嘞——"

雄大像好不容易逮到一个机会终于能摆脱这尴尬气氛一般，十分来劲地大力挥手回应着。他一口气喝干了杯子里剩下的可乐，一边打着嗝一边朝孩子们所在之处跑去。

良多注视着雄大喝过的可乐吸管，与琉晴的一样，吸管被咬到变形。那杯子周围果然也是被撒下的残渣弄得一片狼藉。这就与血缘无关了，而是受环境影响，良多不禁苦笑起来。

"我去打个电话。"良多起身离开，打算给律师朋友打个电话。必须先取得主动权，既然要做，自然是越早开始越好。

"只有他一个和我们长得不像。"

坐在旁边座位的由佳里一边看着孩子们和雄大玩耍，一边失神地低声说道。

绿没法回答她。

"没想到啊……会是这样……"

听了由佳里这话，绿也点点头。

"嘴巴毒的朋友啊，还说过我'你这是找野男人了吧'。我那时还想，这话也说得太缺德了，可就算这样我也没发觉他不是我的孩子。做母亲的，反倒是最看不清啊。"

由佳里这话说得粗野露骨，绿却产生了深深的共鸣。

"是啊。"

由佳里和绿对视了一眼。由佳里那美丽的瞳仁中闪动着哀伤的神色。

由佳里从包里拿出笔，在餐巾纸上飞快地写起来。

"这是我的手机号码，有什么事都可以跟我商量。有些事是只有做母亲的才知道的，对吧？"

由佳里似乎有些顾忌良多，把声音压得很低。

"谢谢。"

绿确认了一遍餐巾纸上的数字，随后把它折好收进包里。

这时孩子们玩耍的方向传来很大的动静，是琉晴。庆多正一脸要哭出来的样子站在琉晴面前，似乎是琉晴从庆多那儿抢走了一个大球。琉晴又跑回桌边，把大和喝剩下的果汁咕咚咕咚喝了个干净。

"喂，琉！为什么要抢庆多的球？揍你啊！"

由佳里刚抬起手，琉晴已经像小老鼠一般灵活地逃跑了。

"我一直觉得性格强势这点是随我的。"

由佳里又感叹了一句。

绿却一直在关注庆多。就算被人抢走球也毫不还手的他，只是呆呆地站在那里。

"我也一直觉得庆多懦弱的性格是像我的。"绿也在心中默念着，却并没说出口。

因为良多已经打完电话，回到座位了。

只两个小时，孩子们已经玩成一团了。性情野蛮的琉晴也渐渐地把老实得过了头、完全不懂反抗的庆多当成弟弟来看，开始保护起他来。这之后就再也没吵过架，大和和美结起了点小摩擦哭闹起来时，庆多还忙着安慰，俨然是一派兄慈弟恭的温馨场景。

雄大一心一意陪孩子们玩了约莫一个小时，已经是汗流浃背。庆多看起来也已经完全向雄大敞开了心扉，已经开始模仿起雄大时常挂在嘴边的口头禅"Oh，my gad（god）"（哦，我的天啊）。

行至停车场时，雄大把揣在口袋里的零食递给庆多，说道："路上挺远的，拿着车上吃。"

良多看着这一幕，暗自叹了口气。这正是用医院名义报销的发票买的那些零食。

把已经睡熟的大和放到货车上之后，斋木一家也坐了上去。野野宫一家送斋木一家先走。

坐在驾驶座上的雄大朝庆多做了个"志村健的啊嘤"[1] 的动作，逗得庆多哈哈大笑。副驾驶上由佳里把手指贴在耳朵上，朝绿打了一个"给我电话"的手势。

车子一开走，良多马上就问绿：

"是说给她打电话？"

"她说有情况可以跟她商量。"

良多露出不高兴的表情。

"商量？凭什么要让她这般居高临下指手画脚？你也稍微争点气啊。说不定以后会大战一场。"

"大战一场？"

听到这个意料之外的词，绿反问道。

"嗯，我有个想法。"

良多却不肯再多说。若是现在刨根问底，他又该烦躁了，绿便在这时选择了沉默。

但是，不安的情绪却在心中卷起了旋涡。

第二天是周日，良多虽然去公司上班，午休时却中途离开，去拜访了朋友的办公室。这位朋友是大学期间搞社团时一起组建乐队的男同学，名叫铃本，如今是一名律师，就职于一家叫铃本

---

① 志村健是日本著名的喜剧表演艺术家，被称为"日本的喜剧王"。"啊嘤"是音译，是志村健的招牌搞笑动作，并无特别含义。

法律事务所的律师事务所。事务所位于市中心最高档地段的一栋大楼里。铃本是一名能干的律师，已经小有名气，如有案件发生，还时不时能看到他作为解说人在电视里露脸。

虽然良多已经正式委托他为谈判代理人，不过，今天却是为了新的委托临时来访。尽管提前就电话预约了时间，良多还是在会客室等了大约二十分钟。

若换作平时，良多只怕早已愤然拂袖离去了。不过铃本算是唯一一个将大学交情延续到现在的老朋友。虽说如此，两人也已经快两年没见过面了。

铃本一边说着"抱歉抱歉"，一边出现在会客室。

"哎呀，刚才突然有点急事不得不紧急召开记者招待会。"

送到当红律师这里的案子有不少是能成为新闻话题的大案子。铃本体格健硕，身材修长，是个清朗、俊逸的美男子。学生时代，聚到乐队专场的"粉丝"，都是冲着良多和铃本二人去的。

"对不住啊，你这么忙。"

良多对铃本很是客气。

铃本在良多对面坐下，一边摆手表示没事，一边把拿在手里的营养补充类的果冻饮料往嘴里送。看起来他都挤不出时间慢慢享受午餐。

"我这边正在按照原计划谈判呢。今天还打了个电话，不过那个叫织间的律师，根本不行啊，估计平时就受理债务整理吧，完全没法沟通。"

良多一边赔着笑脸一边垂首道：

"让你受累啦。"

铃本一笑置之，良多便开始切入正题。

"今天要跟你商量的，倒不是说官司那边。事实上我正在考虑，有没有什么方法可以把两个孩子都争取过来……"

铃本似乎很吃惊，却面不改色。一直以来熟人中就数他最为少年老成，稳重过人，似乎律师这职业特性更强化了这一特质。

"你想的事可真不得了啊。"

能让铃本都说出这番话，良多很有满足感。

"不过，事到如今，你还能当好对方那个孩子的父亲吗？"

铃本自己有一个上中学二年级的儿子和一个小学六年级的女儿。他说这话，自有其分量。

"这个嘛，我想姑且还是先把他放在身边。毕竟血缘相通，总会有办法的。"

铃本的脸上浮出一丝浅浅的笑意。

"血缘啊。真意外呀，你还挺老套的。"

被铃本这么一说，良多的面色有些不悦。

"不是什么新套、老套的问题，所谓父子，不就是如此吗？"

他这么一说，铃本的笑意更浓了。

"说的就是你这想法老套啊。不过，你从前就有'恋父情结'。"

虽然很想反驳，但良多并没有出声。从认识以来，他们俩一旦出现争论的情况皆是以铃本的胜利告终。良多吐出两个字，这是他唯一能对铃本的回击。

"笨蛋。"

铃本用鼻子哼地一笑。

良多摊开早已准备好的笔记本。

"我调查了一下，似乎在英国如果行政机关认为父母没有抚养孩子的资格，就可以把孩子带走收留呢。"

铃本摇摇头。

"不尽然。那指的是父母吸毒成瘾，或者母亲反复在家卖淫那类案件。"

"这家人，母亲很容易发火，动辄打孩子。父亲也没个正经工作，整日在家闲混……"

"不行，这种程度是行不通的，算不上虐待。亲权是很强大的。"

良多却不以为然。

"我是不介意花上适当的一笔钱去争取的，只要对方肯接受。"

"恐怕不会接受吧，不强行交换不也挺好吗？"

良多打断铃本的话，继续说道：

"先提一下试试总没关系吧？我找个合适的时机。"

铃本似乎已放弃说服他了，叹息着点点头。

"还是一如既往的强势啊。的确，我也没有权利阻止你这么做。"

看着一脸跃跃欲试的良多，铃本无奈地歪了歪脑袋。

"怎么说呢……首先还是劝你先把跟医院这场仗打好。作为律师来说，我还是希望你能跟那家人携手合作，一起打赢这场民事诉讼。"

良多把铃本这番话当作同意他的提议了。要论雄辩自己可能赢不了铃本，不过良多有的是行动力。就算是过于强硬，但这毫无疑问也是一种强有力的武器。

之后就是时机的问题了，良多思忖着。

6

医院主持的联合聚餐会确定在每周六定期举行。

设计大赛胜出了，接手过来的项目似乎也步入正轨，良多的工作已经趋于平稳，不过每周要休息一整天，还是相当勉强的。即便如此，他也不能拿工作当不去参加聚餐会的理由。

如果在市中心聚餐，他下午还是能上班的。不过考虑到斋木家尚有年幼的孩子，他最终不得不选择靠近群马的地方。

年内已经举办了第二次和第三次聚餐会。新年伊始的一月五日，又在埼玉一家家庭餐厅举行了第四次联合聚餐会。出席人员包括斋木一家和野野宫一家，还有医院那方的秋山和织间律师。

这次铃本也一起出席了。

这是一家以龙虾料理为主的餐厅，店内的大型水槽中饲养着许多龙虾。吃完饭，孩子们便去水槽看龙虾了。

就餐的房间是宴会厅，并不是完全独立的单间，不过也隔开了其他顾客的视线。

"怎么样？"

织间等孩子们去了水槽，便开口问道。差不多所有人都已经结束用餐了，只剩下雄大一人还在专心致志地吃龙虾钳里的虾肉。

被旁边的由佳里捅了一下，他这才不情愿地把龙虾钳放回盘子里。

"已经是第四次聚餐会了，要不要互相到家里留宿一晚试试？孩子适应环境的能力很强。我觉得对父母来说，越迟一日，痛苦也越增加一分……"

铃本接下织间的话头道：

"要能进入那个阶段我们也是乐见其成的，不过这事和我们要调解的可不是一个问题。"

织间大大方方地点点头。

"是的，这是自然。您怎么看，斋木先生？"

织间再次询问雄大。

雄大正把心思又放回到龙虾钳上，闻言立即慌慌张张地抬起头。

"啊，这个——不过，那个，我觉着就这样见面，也挺开心的……是吧！"

雄大希望由佳里能赞同他。

由佳里却无视雄大，用犀利的眼神直逼织间和秋山，明显十分不快。

"第四回了就该怎么着，是有这样的规矩吗？"

"就是嘛。就因为见了四回了，就说行了，交换！实在叫人心里不舒服。"

雄大立即附和由佳里道。

织间轻描淡写地避开了由佳里的话。

"也说不定会进展得意外顺利呢。无论如何，毕竟血脉相连。住在一起，增加彼此相处的时间，说不定才能更真切地感受彼此。如此一来，您现在的抵触情绪说不定也会逐渐消散呢。"

良多觉得织间作为乡下律师的这段经验之谈，倒颇有几分说服力。他瞥了一眼身旁的绿，只见她脸色苍白，低垂着头。

由佳里却对此提出了异议。

"我家还有大和和美结，可不想这么匆忙。"

"就是，可不想这么着急！"

雄大仿佛在开玩笑般鹦鹉学舌。

"这种时候就别胡闹了。"

由佳里责备起雄大来，声音虽低却很严厉。

雄大忙解释道："我就是想缓和下气氛。"

织间没搭理这两夫妻的对话，两眼看向良多。

"野野宫先生怎么想？"

"要不暂时从周末交换留宿开始，比如周六一个晚上？"

良多的话让绿全身都颤抖起来。但她什么都没说。

"啪啪啪啪啪！"

突然，琉晴飞奔进房间，手里拿着龙虾钳，把它比作一把手枪，朝房间里的所有大人一通扫射。

大人们都一边齐声说着"额……""被干掉了！"，一边装作中枪的样子。尤其是雄大，身子扑倒在桌子上，嘴里发出呻吟。只有良多反应平淡，他避开了"子弹"。

琉晴瞄准没有倒地的良多就要开枪，"啪啪啪"。由佳里勃然大怒。

"正在说要紧的事，一边去！"

琉晴迅速撤离了。

琉晴刚走，紧接着大和又冲了进来，也是手里拿着龙虾钳比成枪的样了朝大人们扫射。

"啪啪啪啪啪！"

大人们又装作一番中枪的样子，一个个身子往后仰去。良多往旁边看了一眼，绿依旧低着头，一动不动，仿佛在抗拒着什么似的全身僵硬。

这家钢琴教室是全国连锁店中的一家，就开在车站前出租大楼的一角。

把庆多托付给老师后，绿就在休息室等候，这里可以透过玻璃观看教课的过程。平时她都是一边看杂志，一边时不时地看看庆多。但今天绿却全然是一副心不在焉的样子。她既没看杂志，也没心思看庆多。上课的中途，庆多四顾着寻找绿，绿却毫无察觉。她只是两眼呆呆地盯着墙壁上的某个点，一动也不动。

终于在某个时刻，绿仿佛全身力气都被抽走似的瘫软下来，掩面痛哭起来。她多想止住自己的泪水，却无能为力。眼泪就像决堤的江水般一波接一波地往外倾泻，渐渐地，她喉咙里发出呜咽。她已经完全无法控制感情的崩溃。

稍远处，一个在等候上小提琴课的孩子旁的女人注意到了绿的失态，便上前跟绿搭话，但绿还是止不住地痛哭。

绿牵着庆多的手并排走在通向公寓方向的上坡路上。绿的眼中已经没有了眼泪。庆多手心中的温暖，缓解了她内心深处的忧郁，却无法让它消散。

"弹钢琴开心吗？"

被绿这么一问，庆多的脸上露出思索的神情。

"不用勉强继续哦。"

庆多一听这话，有一瞬间脸上焕发出光彩来。果然，他也不是那么喜欢弹钢琴。但随即，庆多的脸色便由晴转阴了。

"可是，爸爸他……"

在准备入学考试时，补习学校的老师曾讲过，孩子最好掌握一门学习之外的特长。良多当即便说让庆多去学弹钢琴。良多到小学四年级为止都在学弹钢琴，后来是因为家庭的缘故才中止的。绿猜良多该不会是抱着一种"让儿子替自己完成夙愿"的念头吧。良多有着和绿完全不同的优秀乐感，学生时代十分风靡的吉他弹唱，他的水平完全可以媲美专业歌手。刚开始交往时，绿就曾被他迷得神魂颠倒。

也就是说，弹钢琴并不是庆多自己想学的。绿心想，时至今日，庆多钢琴长进缓慢之事，对良多来说只怕又多了重特别的意味吧。

"爸爸也不会生气的哦。"

如果庆多现在提出不想学了，如今的良多应该会爽快地同意吧，绿如是想。

但是，庆多却摇摇头。

"还是算了吧。因为爸爸会很开心。"

庆多忽然一脸成熟。

"发表会的时候吗？"

绿想起来了，庆多在第一次发表会上几乎零出错地弹奏完整首课题歌曲时，良多难得心情大好，当天晚上喝上了不怎么喝的酒，还跟庆多一遍又一遍地父子连弹。

"那时候狠狠地夸奖了我呢。"

庆多自豪地说着，满脸笑容地看着绿。

"是啊。那就再稍微坚持一下？"

"嗯。"

看着庆多的笑容，绿觉得自己的心情又稍微轻松了些。但很快，她这份轻松的心情又支离破碎了。

明天，周六，是庆多第一次前往斋木家交换留宿的日子。

当晚，良多早早回了家。他直接从外面洽谈的地方马不停蹄地往家赶，不到六点就已经回到了家中。

良多吃完绿烧的菜，泡了澡，把睡前准备都收拾完也才七点半。

"要不要玩游戏啊？"

良多说着平日里绝对不可能说的话。两人便开始玩起赛车游戏来。当然，这是良多第一次认真参与到游戏之中，没想到竟十分有趣，倒是他自己玩得十分投入。

"啊！不行啊！完全不行了！"

良多不由得大声喊叫起来。游戏中他操控的车辆打着滑从悬崖上坠落下去。

一旁依然摆弄着操控手柄的庆多哈哈大笑，乐不可支。

终于，庆多的车超越了爸爸的，以第一名的成绩抵达终点了。

绿一边微笑着望着父子二人，一边开始收拾庆多的外宿行李。睡衣、牙刷、喜欢的书本、可以卷起来带走练习的小电子钢琴……

这些全都是自己照顾不到庆多时要用上的东西。而且，交换留宿也不同于普通的旅行。刚停下手陷入沉思，绿的手机响了，一看来电人，居然是由佳里。

"明天就麻烦您啦。嗯，是的。我也这么想。庆多能吃荞麦的。啊，不过，刺身一直没让他吃。琉晴不吃的东西……啊，这样啊。很厉害啊。喜欢的东西呢？哈哈。蟹肉棒。嗯。蛋黄酱。嗯，知道了。"

确认好明天的时间后，绿便挂了电话。

电话里由佳里说，打算中午准备孩子们爱吃的荞麦面和金枪鱼的生肉薄片沙拉，晚上吃饺子。另外，由佳里说琉晴完全不挑食，"给什么吃什么"。不过据说琉晴尤为喜欢的是蟹肉棒配蛋黄酱。由佳里还追加了一句"他喜欢的可不是真的蟹肉，是那种便宜的假蟹肉"，顿时把绿给逗乐了。

虽然只是在电话里讲了短短的几分钟，绿却感觉跟由佳里心意相通，心情也轻松了少许。

良多不再玩赛车游戏，换成了类似双陆的游戏。这种像大富
翁类的游戏，他们可以一边闲聊，一边游戏。

"我说……"

良多开口了。

"嗯……"

庆多正专注地盯着画面，不过还能分出精力回话。

"我们明天十点钟出发的吧？"

"嗯。"

庆多还是盯着画面回答道。良多觉得这样的方式更容易展开
对话。

"啊，到白色了。"

接下来轮到庆多了。良多等庆多结束后尽可能用平静的语气
说道：

"明天呢，出门后就直接去琉晴家住。"

"嗯。"

庆多的神情看起来有些不安。

"不要紧吧？"

"嗯。"

庆多还是盯着画面。良多原本还想，是不是让他停下游戏，

认真地交流一下想法会比较好。庆多竟同意了。良多便改了主意，既然如此，也没必要去刻意破坏气氛，反倒让孩子害怕。

"这是为了让庆多变得更加强大的任务。"

"嗯。"

良多瞥了一眼庆多的脸。尽管回了话，他脸上却没有什么再多的表情变化。

"真的明白了吗？所谓任务，就是让庆多变得强大、变成大人的一次作战。"

"嗯。"

良多凝视着庆多的脸，思考着：恐怕是不可能单凭语言就让孩子明白，唯有试着付诸实践让孩子慢慢接受了。

第二天，一家人直到过了十点才出发。原因在绿。前天晚上，尽管良多千叮万嘱，绿还是从一大早开始就掉了好几回眼泪，躲在厕所里半晌不肯出来。结果自然是彻底晚了。良多顾虑对庆多的影响，也不好语气强硬地去说。结果原本计划着提前出发，最后拖拖拉拉反而延误了时间。

他们从前桥的高速公路出口出来已经过了中午，刚好花了两个小时。良多从后视镜偷瞄了下后座，庆多正兴高采烈地练习钢琴。一旁的绿眼含泪花，抚摸着庆多的脑袋，万分怜爱的样子。她抚摸孩子脑袋的次数自从进了前桥就越发频繁了。

良多担心绿的情绪会传染给庆多，不由焦虑起来。可他也察觉到，自己一旦开口，语气一定十分凶狠，便忍着闭口不言。

按照车载导航的指示，车子沿着田间一条没有岔路的直道一路前行。因为是农闲时期，田间不见一个人影，乡间的人也是稀稀落落，一路都是极其萧条的景象。要说大些的建筑物，就只有支撑输电线的铁塔了。

就这样，他们一路驱车前行。渐渐地人家开始多起来，慢慢显露出市区的模样来。

"已到达目的地，语音导航到此结束。"

车载导航传出通知声。

开车的良多看了看出现在左侧的房子，又比对了车载导航的地图，确认前方的商店正是"茑屋商店"。

随即，商店前的马路上出现一个孩子的身影，是琉晴。

琉晴正在旋转陀螺，发现良多的车，就立马慌慌张张地跑回了家中。

一瞧见茑屋商店的外观，良多就对这破旧得有些过分的模样倒吸了口凉气，自言自语道：

"喂喂喂喂，怎么说这也有点太……"

外墙虽然刷着白漆，但在风吹日晒之下，油漆已经脱落得斑斑驳驳，露出墙底子来，估计已经好些年没有好好维护过了吧。

商店也没有任何电器装饰之类的东西，若是不挂着"茑屋商店"的招牌，看着就是个仓库而已。墙上只有一个约莫是最近才画上去的彩虹图形新得出奇，这反倒让房子看起来更加寒酸。

车库就在旁边，那里停着一辆有些眼熟的小货车。

良多将车子停在店门前。

随即，进出口的玻璃格栅门被打开，雄大和由佳里，以及其他孩子走了出来。

良多等人下了车，面朝斋木一家。

"你好。"

大声打招呼的依旧是琉晴。

庆多也被良多催促着打了招呼。

久待无益。

"那就拜托了。"

良多说着，就把庆多交到雄大的手里。雄大和由佳里马上把手搭在庆多的肩上，带着他一同往屋内走去。

良多说了声"坐后排"，琉晴便听话地自己打开门坐了进去。

本来还担心他们会哭哭啼啼地闹腾，不想竟十分顺利。

哭的只有绿。尽管她拼命忍着，但很明显已是一脸要哭出来的模样。

绿似乎略有些迟疑，最终还是坐进了副驾驶位。

车子开动了，绿从后视镜看着车后的风景。这时，庆多从屋里跑了出来。绿不由轻声"啊"了出来。

庆多满脸悲伤地目送车渐行渐远。雄大和由佳里也出来站在他的身后，忧心忡忡地目送着车远去，终究还是把庆多牵回了屋内。

在回东京的路上，车里的琉晴看起来很是愉快。一直一个人兴高采烈地玩着游戏机，一出现失误就大叫一声从父亲那里学来的发音错误的英语"Oh，my gad（god）"，把良多和绿吓一大跳。良多和绿跟他说话，他只用简短的词句回答。他看起来倒不像在闹别扭，只是一门心思投入游戏中。

不过，当绿问到"肚子饿了吗"时，他马上就中气十足地回答"我想吃汉堡包"。

良多便把车停在高速公路旁的服务区，三个人用汉堡包和果汁解决了午餐。琉晴吃得很快，不过撒得也很多。而且，可乐的吸管被他咬得不成形状。

庆多吃光了中午的荞麦面，但是炸竹荚鱼剩下了一大半。

午餐结束后，大和和美结一边看电视一边玩耍，吃过三点的零食后两人就睡了。庆多便开始在家中探险。

这家有好几个房间，都是榻榻米式的，跟外婆里子家很像。不过每个房间都堆满了物品，却完全没有散乱的印象，无论是报纸还是衣服，都叠得整整齐齐堆放在一起。

庆多还试着跑出房间看看。房子的周边有一面环绕的墙，房子和墙壁之间散落着孩子们玩沙子的玩具和泄了气的皮球等物。内院倒是比较宽敞，不过已经杂草丛生，放置了些坏掉的三轮车等物件。

其中最让庆多感兴趣的是那个小狗窝，并不是手工制作的，而是塑料材质的旧物。它原本应该是白色的，不过在风吹雨淋之后已经变成了茶色。庆多探头朝小狗窝里瞧了瞧，里面也被那些玩沙子用的玩具填得满满当当的。

既没有狗，也没有狗的气味，只是小狗窝上用签字笔写着"中心司"。

这是由佳里在中学时期养的一只杂种犬的名字。它在这个家里成长，真正的名字应当是"忠司"，只不过"心"字写得太大了。

忠司是一条被遗弃的小狗，故此年龄不详。它活了十多年，就在这家生下琉晴那一年里去了天堂。由佳里说它是为了保护琉晴才死的，所以死活不肯处理掉这小狗窝。

不光是这小狗窝，家里各色物品堆积如山的其中一个原因便是由佳里。因为每件物品都有回忆，所以她无论如何都不忍丢弃。琉晴用过的三轮车后轮已经不能转了，但因为之后美结与大和还用来骑，便有了感情，她怎么都舍不得丢。直到如今，大和还会勉强着骑一骑它。

当然，经济上的拮据也是一个原因。

庆多还去看了看雄大的"工作间"。庆多所受的教育是"工作"大于一切，因此他有些害怕靠近，生怕会被训斥。

他只是透过"工作间"入口的格栅玻璃偷偷往里瞅。

里面有一张铁制的桌子，桌上摆放了许多庆多从未见过的机械。

桌子周围成包围状地排列着铁制的架子，收纳着许多电器配件。这里也兼具了店面的功能，不过看起来更像个仓库。

正在桌子上做着什么"工作"的雄大注意到庆多在偷窥，便冲他招招手。雄大的脸上没有任何"工作"的可怕感，而是满脸的笑容。

可庆多还是犹豫不决。直到雄大跟他招了很多次手叫他过去，他才打开格栅门的拉门。

"那个，你知道 Spider-Man（蜘蛛侠）是蜘蛛吗？"

雄大看着庆多的脸，突然问道。

"不知道。"

庆多摇摇头，雄大开心地笑了。

庆多这才发现雄大并没有在工作，铺在桌上的是报纸。

这时，朝向马路一侧的格栅门被拉开了，似乎有人走了进来。

"医生，好冷啊。"

进来的大个头男人是一个留着一头长发的巴西人。这附近有
好几个规模很大的工厂，在工厂里工作的外国人也并不罕见。

"哟，边先生，还好吗？"

雄大称呼他为"边先生"，却不知道他的本名。也问过一次，
但实在是太长了，雄大记不住。自从听说他那位日本太太的旧姓
是"渡边"，就称呼他为"边先生"。

"好啊。"

边先生虽然只会说些只言片语，但还是能听得懂大部分的
日语。

庆多吃惊地盯着这个外国人庞大的身躯。

"庆多，太冷了，把门关上。"

被雄大一说，庆多连忙把后面的格栅门关上了。

"怎么啦？"

雄大问边先生。

"来买灯泡，厕所的。"

"厕所啊，六十瓦的可以吗？"

雄大站起身，站在架子前伸长了手。

"要不要买LED（发光二极管）的？这样就不用再换灯泡了
哦，还节能呢。"雄大手里拿的是个单价三千八百日元的灯泡。

边先生慌忙摇摇手。

"要是弄那么亮，会尿不出来的啦。"

两人都知道这是开玩笑，便对视一眼，哈哈大笑起来。

"厕所的话四十瓦就够了吧。一百九十日元。"

雄大从架子上取下灯泡递过去，边先生从口袋里掏出零钱递给雄大。

雄大把钱放进桌上一个带提手的小保险箱里，又从里面拿出找零的钱。

"医生，下周周日有空吗，早上六点？"

面对边先生的邀请，雄大歪着脑袋说：

"还在玩棒球啊？你都这个岁数了还这么有活力……"

从足球大国巴西远道而来的此君，原本连棒球的规则都一窍不通。他通过拼命地学习终于出师，亲身践行了什么叫"入乡随俗"。

庆多暗自揣测着边先生到底多大年纪。这般大的体格已经让他吃惊不小，自己还是第一次见到留着一头长发、穿着混杂着橙色和蓝色这样花哨运动服的男人。

"让医生你当投手，来嘛。"

"不行啦。我啊，提早进入了五十肩的大军啊。肩膀从这里往上就抬不上去了。"

"明明还挺年轻啊。"

边先生这回答倒挺像个日本人。雄大把找的零钱递给他。

"边先生，加油啊。"

"嗯，那就，回见！"

"谢谢啦。"

边先生扬了扬手回去了。

庆多觉得这个边先生和雄大一定是"朋友"。两人能互开玩笑、张开嘴巴大笑，这让他觉得很不可思议。他本来一直觉着大人是没有"朋友"的。妈妈没有"朋友"，爸爸也没有。

这时，厨房方向传来大和的大喊。随着"啾"的一声响之后，一股蒜香袭来。

随即，响起"咚咚"下楼的脚步声。店铺最里面有楼梯，通向二楼。那里是由佳里的父亲宗笃的房间。老人家的腰已经弯了，看起来岁数很大，其实也就刚满七十。他的妻子在十年前就先一步离世了。

"是饺子吗？"

"就是饺子。"

雄大回答着，欢呼雀跃地奔向厨房。

庆多则跟在宗笃身后。

厨房里，由佳里正在炸着饺子，大和和美结坐在她的脚边。

由佳里正掰着手指和孩子们一起数数，这是在计算着饺子炸好的时间。

"十五、十六、十七、十八……"

大和和美结也扯着嗓子一起数了会儿。大和数到十八就掉队了，开始朝美结动起手脚来，两人便吵闹起来。

这番厨房景象对庆多来说实在是热闹得过了头。平时都是妈妈安静、沉默地独自做着饭菜。这个时间，庆多基本上是在练钢琴，有时候会被允许玩游戏。

由佳里见庆多看得目瞪口呆，便粲然一笑冲他眨眨眼。庆多并不明白这眨眼的含义，只是感觉到自己想要见妈妈的悲苦心情因此变得轻松了些许。

晚餐的情形更是让庆多大跌眼镜。他中午已经见识过了这种所有人围坐在一个圆桌前吃饭的模式，但此时桌子上摆着的竟然只有果汁、可乐和啤酒。除此之外，就只有一个装满酱油的小碟子。

在自己家中，不能喝大麦茶和矿泉水以外的东西。而且，在这个家里，吃饭之前孩子们竟然都不说"我开动了"，就直接咕咚咕咚喝上了饮料。当然，庆多面前也早已备好橙汁。

不仅如此，"饺子！饺子！饺子！"地大声嚷嚷着敲打桌子的不是孩子们，而是雄大和宗莴两个大人。于是孩子们也有样学样。而这在庆多家里是被绝对禁止的"捣乱行为"。

"来啦，久等啦。"

说着，由佳里手里拿着一个特大号的盘子从厨房走了过来。

盘子里起码装着不下五十个饺子。盘子"咚"一下往桌上一搁，顿时热气夹着饺子的香味升腾而起，一股诱人的香气钻入鼻孔，撩拨着人的胃。

"我开动啦。"

说这话的只有雄大一人。孩子们、由佳里、宗茑全都一声不吭，也顾不上饺子还很烫，把酱油沾得满满的，开始大快朵颐。

庆多惊得直发愣。在自己家中，自己要吃的份是单独分在盘子里的。而且，这里谁也不吃白米饭，只吃饺子。

似乎是饺子太烫了，急不可耐往嘴里胡塞的雄大被烫得"哇"地一吐，放进嘴里的饺子顿时撒落在桌子上。

庆多顿时紧张起来，只要爸爸在家，你胆敢这么干，不但不给吃饭，还会被大骂一顿。

然而，所有人都在笑。仿佛刚才看到的是雄大的魔术表演一般，其乐无穷。

眼看着大盘子里的饺子越来越少了。

"喂，再不快点吃就要没了哦。"

由佳里笑着对庆多说。

庆多这才惊觉自己已经饿得前胸贴后背了。于是他战战兢兢地伸出筷子，夹了一个饺子，沾了点酱油，往嘴里一塞。好吃！大蒜和韭菜的香味弥漫整个口腔，比在自家吃的饺子味道要更浓烈，十分美味。

庆多慌忙地把剩下的饺子也塞进嘴里，马上又伸手去夹了一个。

由佳里看他这模样，笑得很是开心。

良多家的晚餐却进展得并不顺利。菜品是琉晴爱吃的日式牛肉火锅。他们买了许多上好的霜降牛肉，可惜做法上出了问题。

锅放在餐桌上，粗粒砂糖放入火锅中融化，再将肉置于其上煎烤，泼入酱油，最后用搅拌好的蛋液把烤好的肉一裹，即可食用。这是良多大爱的京都风味的牛肉火锅。

琉晴一直满心欢喜，但看到这牛肉火锅时却沉下脸来。

"这个，不是牛肉火锅。"

琉晴想吃的是那种白菜、魔芋粉丝、大葱和牛肉一股脑放进锅里，咕咚咕咚煮着吃的关东风味的牛肉火锅。

良多很没气量地反驳道，既然是牛肉火锅，火烤着吃才是正确的吃法。结果这倒让琉晴越发闹起别扭来，说是不吃了。

绿连忙缓和气氛道："你就当作是烤肉，尝尝看。"琉晴这才勉勉强强转换了心情。

"蘸点拌好的蛋液更好吃哦。"

良多劝道。绿刚把烤好的肉夹到盘中，琉晴便伸出筷子夹起肉往嘴里送。

"烫烫烫！"

迫不及待塞进嘴里的肉几乎要把他的舌头烫熟了。

"好吃吧？"

良多一边笑着一边问道。

"我还没吃，烫呢。"

"啊，对呢。"

这回答也让良多不由失笑。

反复吹了几口气，待凉了，琉晴又把肉放进嘴里。

他鼓着腮帮嚼了没两下便把那一大块肉咽下去了。

"好吃。"

琉晴满脸笑容地说道，这是他迄今为止从没吃过的味道。绿刚烤好牛肉，琉晴就跟抢似的大口大口吃起来。

良多和绿偷偷交换了视线，露出放心的笑容。

足足扫荡了两人份的量，琉晴才终于放慢吃的速度。趁着绿在煮青菜的工夫，良多跟琉晴说起自己方才注意到的事。

"听着，琉晴。"

良多把椅子拉到琉晴的旁边，与他并排而坐，把筷子拿到琉晴的面前让他看。

"琉晴拿筷子的方法有些不对。"

确实琉晴拿筷子的方法更像是一把握住筷子。绿也早已注意到了。

"看着，要这样拿。"

良多给琉晴示范拿筷子的方法。

绿还在担心琉晴会不会闹脾气，不想琉晴却老老实实地点点头开始学了。

不过琉晴始终拿不好，良多终于看不下去了，便直接握着琉晴的手，指导起筷子的拿法来。

绿感到一种近乎痛苦的强烈违和感。

迄今为止，他可曾有教过庆多一次筷子的拿法？更何况，如此有耐心，手把手地教导……

绿的脸失去了血色。不过，琉晴和良多都没注意到。

之后，琉晴边吃着饭，边闹着"想喝可乐"。绿很是为难，正打算出去买。良多却斩钉截铁地说"在家里不能喝可乐"。这让琉晴鼓了好一会儿腮帮，不过最终还是听了话。

虽说调皮，个性也强，但他终究还只是个六岁的孩子。

琉晴说，还是第一次一个人泡澡。不过他倒是一点也不讨厌，反倒兴致很高。他说平常都是跟父亲和弟弟妹妹一起泡澡的。琉晴在浴缸里玩耍着庆多数量庞大的玩具，泡了很久很久。在浴缸里找到了筷子和蔬菜的玩具，琉晴便拿来复习良多传授的拿筷子的方法。

　　琉晴泡澡的时候，良多独自待在书房。那是好些年都未曾拿出来过的东西了，可以说是从老家带到这家里的唯一一件东西了。

　　那是一本护照。搬到这个公寓时，整理着物品，唯有这本护照被他收进了桌子抽屉的最深处。

　　护照里夹着几张照片，是良多自己年幼时的快照，这还是家境尚且宽裕时的遗留物。只有这些照片还保留着自己早已失去的东西——无论何时照片中总是面带微笑的母亲。他从中挑出一张，这是自己升小学之前的模样。永恒的盛夏中，手持捕虫网，头戴稻草帽，咧着嘴笑个不停的自己。他把这张照片和琉晴的照片放在一起对比。

　　很像，惊人的相像。那天，在前桥的购物中心初次见到琉晴时，他就觉得似曾相识，原来就是这张照片中的自己。

　　说起来这也是理所当然，良多却很兴奋。他兴奋的是，即便父子二人毫无交集，各自生活，但容貌依旧如此相像，这便是血缘的强大。

　　恐怕还不仅仅是容貌，精神构造方面也势必会受血缘的影响。

　　良多想起了在牛肉火锅这件事上，强势坚持自己意见的琉晴。

　　琉晴代替庆多，被良多和绿夹在床的中间睡着了。琉晴觉得睡太软的床不舒服，但这也不过片刻工夫，很快他就像被什么吸引着坠入了梦乡。绿心想，琉晴表面平静，实际也是身心疲惫了吧。

绿侧身躺在琉晴的身旁，心里惦记着庆多，祈祷着庆多千万不要哭鼻子才好。

庆多连哭鼻子的工夫都没有。六个榻榻米大小的房间里满满当当地铺着褥子，一家五口，一个叠一个地挤在上面睡觉。褥子硬邦邦的，盖的被子又重。而且，最先睡下的雄大鼾声雷动，吵得要命。

不过，多亏由佳里睡在旁边，庆多总算稍稍安心了些。他尽量试着不去想起母亲的音容。

可是，半夜里，庆多醒了。

他想去厕所。有那么一会儿，他不知自己身在何处。看着在被子里睡得四仰八叉的雄大等人，他感到无助和不安。可是尿憋得实在难受，他已经忍不住了。庆多从被子里起身，打开了紧闭的拉门。

拉门外是一片漆黑的世界。庆多犹豫了一会儿，最终还是不得不躺回了被窝。

"怎么了？庆多，要尿尿吗？"

由佳里出声询问。庆多点点头。由佳里莞尔一笑。有由佳里陪着，庆多总算去上了厕所。由佳里特意把厕所的门开着。

"阿姨小时候也很害怕，便让我父亲陪着，这样开着这扇门。"

说罢，由佳里笑了起来。

第二天清晨，最早起的是宗莴。天依旧黑沉沉的时候他就起来了。等到天空开始泛起鱼肚白，他便在睡衣外套上一件日式短外衣，开始打扫店面，给路面洒水。每个早晨皆是如此。即便下雨也有活可干。这几年，宗莴偶尔会出现轻度痴呆症的症状。

之后醒来的是由佳里和雄大。由佳里准备早餐，雄大则准备茶碗泡茶。泡好茶，雄大便开始悠悠闲闲地看报纸。

盐煎鲑鱼、纳豆、味噌汤和米饭，这便是早餐了。有时间的话他们也会准备腌菜，不过有兼职时就没这个工夫了。

准备工作完成后，由佳里把米饭盛在专门用来供奉佛龛的饭碗里。母亲过世之后的这十年来，这是她每天早上的例行功课。把早上该干的活干完后，她便叫孩子们起床。由佳里等人的卧室也是兼做佛堂的。

叫孩子们起床是由佳里最喜欢的时间。还打着瞌睡的孩子们睡眼惺忪、迷迷糊糊的样子实在是可爱得要命。她使出各种手段，一点一点地让孩子们开开心心地起床，实在是乐趣无穷。

可是，这一天，她却在房间前停住了脚步。

房间里，只有庆多一人已经醒了。他一个人孤零零地坐起来，穿过拉门上开的一个小孔，独自眺望着外面的风景。

这小小的背影如此孤单无助。

由佳里可以想象出庆多的心情。醒来一睁眼却发现母亲不在身边，怎能不孤单。因此，他才想要搜寻在窗的另一头的远方，母亲的身影。

琉晴在东京醒过来一定也是如此无助吧。一念及此，由佳里的心口仿佛被人狠狠揪了一下。

"庆多。"

由佳里唤道，庆多转过身来。她还想着他会不会是哭了。他却没有眼泪，那大大的眼睛只是怔怔地望着由佳里。

"能帮我把这个供到佛龛上吗？"

庆多默默地走到由佳里的身前，接过碗，供在了佛龛前。

"我能击磬吗？"

庆多的话让由佳里很意外。她原本以为，诸如东京人士良多这般的精英的孩子应该是没怎么见过佛龛的。

"那就拜托啦。"

这时雄大一边打着哈欠一边走过来。

庆多跪坐在佛龛前，敲响了磬，双手合十。

"呀，你以前做过。"

雄大也十分意外地问庆多。

"嗯，在外婆家里做过。"

雄大恍然大悟。良多举手投足都是都市精英的派头，但绿总给人感觉不够大气。听说老家是前桥的，这就可以理解了。绿的身上还残留着一些质朴气息，这点雄大倒是很喜欢。

雄大一坐在佛龛前，大和和美结也起来了。他们走过来并排正坐着。孩子们身后跪坐着由佳里。

雄大击响了磬，所有人都一齐双手合十。

"外婆，这是庆多，请多照拂。"

雄大向由佳里的母亲汇报着。十年前她过世的时候，雄大还没加入这个家庭。雄大出生在滋贺，为了上技校去了名古屋，当过汽车修理工，也在宠物店工作过，还开过餐厅，不过最终餐厅倒闭，还欠了一身债。随波逐流后他辗转到群马，得到了一份电表查表员的工作。他这大半生过得颠沛坎坷，还离过一次婚。

在前桥生活了两年后，有一次雄大查表来到斋木家，邂逅了比他小将近十五岁的由佳里。之后两人成了夫妻。

由佳里在当地可是出了名的美人，高中时代还引发过前所未有的事态。早上八点从前桥大岛站出发的电车，被专程前来看由佳里上学的男学生挤得人满为患。尽管那时由佳里还有些不良少女的气质，却得了个"两毛线①的女孩"这么一个典雅的通称，在附近是尽人皆知。由佳里毕业后虽然考了个保育员的资格证，

---

① 两毛线是连接日本栃木县小山市小山站与群马县前桥市新前桥站的东日本旅客铁道（JR 东日本）线路。

最后却在前桥市内的一家印刷公司做事务性工作。当然，向她示爱的男人数不胜数。不过不可思议的是，居然没有传出任何有关她的轻佻的谣言。谁知道，她家突然某日将"流浪汉"雄大招为上门女婿。两人缔结连理，让周围的人瞠目结舌。而且，他们还接连不断地生了三个孩子。

怎么看也看不出来其貌不扬、上不得台面的雄大究竟有什么好的，由佳里的老友们都如此问她。对此，由佳里不厌其烦地回答："因为他虽然是个'流浪汉'，却很擅长修电器。"

两人的邂逅也很是特别。当时还是OL（办公室女职员）的由佳里在休息日里打算自行修理出现故障的游戏机，便在父亲的工作台上手持电烙铁与游戏机较劲，恰好出现的查表员雄大出手相助，由此开始了一段良缘。当然，区区一个查表员不可能懂这些电器知识，只是因为雄大自孩童时起就喜欢摆弄机械，所以才精于此道。

自那以后，由佳里就开始满心期待每月一次的查表时刻。

雄大自一大清早开始就悠悠闲闲的。他吃过早餐后既没有要出门的迹象，也没打扫店面，只是在桌子上摊开报纸，听着广播。他这么悠闲可不是因为今天是周日所以休业，外面的招牌上可是写着"全年无休"的字样。

看完报纸，雄大就陪庆多、大和和美结玩耍。他们在商店前的道路上玩投球游戏，之后又跑到非常近的公园玩秋千。

庆多刚能把秋千荡到自己从未达到过的高度，雄大就被由佳里一个电话叫回去了。

庆多等人回到店里，有一对看起来初中生模样的兄妹正在等雄大。他们说电动遥控越野车坏了，不能动弹，想要修理一下。

雄大拿着越野车和电动遥控翻过来倒过去地看了一会儿，操作了一会儿，很快便将越野车身解体了。他戴上套头式的放大镜，全神贯注查看着电路板，拿起了电烙铁。

对庆多来说，这个姿势看起来帅极了。

大和和美结也兴致勃勃地围到桌子周围，紧盯着父亲的手部动作。

"很烫，危险啊。不能伸手过来哦。"

雄大一边说，一边用电烙铁烧焊料，将越野车脱落的线路接回去。

电烙铁冒着白烟。那一瞬间，庆多闻到了一股迄今为止从未闻到过的气味，是高温熔化焊料和松脂的气味。

"看看这样是不是修好了？"

雄大边说边取下了放大镜。

"电池，电池。"

大和嚷嚷着把取下的电池递给雄大，似乎是打算帮忙。

雄大把电池装进越野车，将车放在地上。他拿好电动遥控，按下了前进键。

越野车发出尖锐的金属声，跑了起来。大和追着车跑了起来。雄大灵巧地操控着越野车在千钧一发之际逃离了大和的追逐。大和顿时发起脾气，哇哇地哭起来。

雄大哈哈大笑，庆多、美结还有两位客人都笑了。

绿坐在起居室的沙发上挥动着毛衣针。她的毛线活师从母亲里子，手艺相当不错。她现在手里织的是给琉晴和庆多准备的围巾。距离二月份的情人节还有三周，应该来得及。虽说没必要着急赶工，反正也没其他事可干。

良多这天天还不亮便起床上班去了。绿没有自信能跟琉晴两人独处一室，便拜托他请一天假。不过良多说必须去处理周六休息落下的工作，之后还要参加一个不能缺席的宴会。那是为前些日子在设计大赛胜出的项目开的庆功宴，作为领导，良多是不可能缺席的，这点绿也十分清楚。

过了八点，琉晴独自起来了，看起来愁眉不展。

摆出来的早餐有鸡蛋卷、腌菜、裙带菜和豆腐做的味噌汤、蛋黄酱拌蟹肉棒。绿原本还想着蔬菜不够，想在蛋黄酱里加点洋葱片，不过最终作罢。孩子嘛，总而言之都是不爱吃菜的。

琉晴吃了口蛋黄酱，就嚷嚷着"好酸"。绿心想，大概是因为蛋黄酱的牌子不一样吧，下次得找由佳里问一问。绿如履薄冰般小心翼翼地跟琉晴相处着。

吃过早餐，琉晴想去屋外玩，绿便带他去了公园。他四处跑了一阵，又在公园一角玩了会儿沙子。公园里没有其他来玩耍的孩子，他们便回家去了。

庆多和幼儿园的朋友们都很喜欢车站前大楼里的一家儿童馆，里面有画图手工室之类的店，每到周日还会搞些手工制作的活动，游戏室里则摆满了游戏玩具。最重要的是，这里很安全。

但是，绿却没想过带琉晴去那里，因为在那里必定会碰到庆多认识的小朋友的母亲们。绿不知道该如何向她们介绍琉晴，也没法解释庆多去了哪里。

回去的途中有一条河，两人坐在河边眺望了一会儿河水。琉晴待得很是无聊。绿也生怕遇到熟人，便催着琉晴回家了。

回到家，琉晴开始玩庆多的玩具。他先是敲着木琴玩，很快玩腻了，便扔开。接着又开始玩一个木制的玩具，把木球一扔，便翻滚跳动着发出呱嗒呱嗒的好听的声音。绿一边听着这呱嗒呱嗒的声音，一边开始编织。

绿再一次回忆起与庆多一起度过的时光。庆多上入学考试培训班，练习钢琴，光这些就足够打发从幼儿园回来之后的时间。周日良多多数时候都不在家，经常只有他们两人玩耍。这种时

候，两人要么就一起看电视，要么就看书。的确，那时两人之间
也没什么对话。但即便如此也从不觉得尴尬。

可是，跟琉晴两个人单独待在这悄无声息、一丝不苟的房间
里，绿觉得自己快要窒息了。

这不是琉晴的错，绿想着。都是因为良多不在。如果良多
的车在家，就能带他去个能玩耍的地方，一个没人认识他们的
地方。

午餐是琉晴想吃的拉面。

吃过饭，绿收拾着碗碟，内心有着从未有过的焦躁。本来她
的内心早就接受了良多周末外出工作的事。就是靠良多如此卖命
工作才得以维持现在的生活。不过，绿原本也没有期望能在这样
的市中心最高端地段买一套公寓。她想的是在稍微郊区的地段买
个稍微宽敞些，能给庆多留出一间房间的公寓。不过毕竟买这间
公寓的是良多，用公司的借款加上他自己的积蓄买的。三十来岁
就能实现购房梦是十分难得的吧。

优秀的精英丈夫、高级公寓、高档车、高价服装……是何等
令人羡慕，而绿却无法沉醉其中。

当然，良多在买大件东西的时候，还是会过问一下绿的意
见。不过，与其说是过问，不如说仅仅是"确认"。基本上所有
事情都是良多决定，良多批准。她对这也没什么太大的不满。毕

竟良多做的事情总是正确的。只要按照良多说的办，从来都没出过什么大差错。

再说自己也根本没有可以反对的智慧、经验、财力。

如此这般，这个"家"一直都这样平平顺顺走了过来。直到那一天……

绿收拾完碗筷，又开始织起围巾。琉晴一边眺望着窗外的风景，一边有一搭没一搭地问东问西。

"那个大大的东西是什么？"

"那个细长的吗？"

"嗯。"

"东京天空树。"

"哦。"

沉默。

"我家是在哪个方向？"

"那边吧。"

"是吗？"

沉默。

终于，琉晴什么也不问了，只是默默地看着自己家的方向。

这时，绿才终于注意到琉晴的寂寞。

"要玩游戏吗？阿姨不太会玩游戏，你一个人能玩吗？有各种各样的游戏软件哦。"

琉晴的表情看起来没什么兴趣。

"软件是什么？"

"在一个机器上可以玩各种各样的游戏，好像是这样一种东西。"

然而，琉晴摇了摇头。

"不用，我自己带了游戏机。"

琉晴从自己的书包里取出一个红色的掌机。那不是日本的有名厂家的产品，只是看着相似的其他产品。庆多的朋友拿着的最新款游戏机都有立体影像，但是琉晴的游戏机却不是。而且，他一直在玩同一个游戏，在一个像迷宫一样的空间里，让一个大嘴巴的圆形生物一边吧唧吧唧吃着什么，一边前行。绿隐约记得，似乎自己小时候在游戏中心看见过这个。

恐怕是那种无法更换软件的老款游戏机。

但对琉晴来说，这应该是他的宝物吧，绿心想。这是一个可以与斋木家相通的有魔法的游戏机。

绿再次拨动起手里的毛衣针。

多亏良多一大清早就开始工作，工作在午后初见规模。下午的设计大赛庆功宴在大会议室举行，他便没吃午餐，直接去了会议室。会议室里，良多的团队成员已经到齐了。看来良多是最后一个到场的。再次环顾会场，他才发现，这次设计大赛一起工作的人竟有如此之多，不由地吃了一惊。CG制作公司似乎是倾注了全公司的人马，算上其他做测量或实地调查等的公司，有一百好几十人参与其中。

在设计大赛中胜出对这些人的生活也会带来不小的影响吧。

部下们压住良多的杯子给他倒了啤酒。但是他四点必须离开会场开车去前桥，所以酒是没法喝了。

听说斋木家的女儿美结晕车晕得厉害，完全没法去开车三十分钟以上的地方，所以便由良多承担了去群马接送孩子的任务。不过良多本来就喜欢开车，倒也不觉得辛苦。

只是呕心沥血才取得胜出的项目庆功宴上，自己却不能喝酒，这倒让他有点落寞。

那边社长的致辞似乎已经开始了。社长在公司是出了名的话多。

"绿她没事吧？"

趁着社长这毫无意义的致辞的空当，波留奈向良多搭话。她今天穿的是一身颜色艳丽的蓝色西服裤装。

良多歪了歪脑袋。

"挺辛苦的吧？"

波留奈的语气似乎有几分讥讽意味，良多才终于明白过来。他光顾着忙活，"抱错孩子的事"到底也没来得及跟她说上一句。

而她竟然知晓，那消息来源就只有一个人了。

"部长说的？"

波留奈点点头，压低了声音：

"还是不要大嘴巴到处说比较好哦。"

"姑且还是要通一下气嘛。"

良多心虚地辩解道。

"反正就是没有跟我通气嘛。"

良多这次是完全被噎得没话说了。

波留奈看着良多一脸尴尬，笑了笑。

"不过我以前就觉得，她是个迟钝的姑娘。"

波留奈这是说的哪一出，良多一头雾水。

"正常情况下也能意识得到吧，递过来的是别人家的孩子，怎么说也是孩子的母亲呢。"

良多再次无言以对，并不是没法回嘴，想要解释的话多少理由都有，绿那时出血过多徘徊在生死边缘等之类的，但良多却闭口不言。他只想让这个话题到此为止。他甚至心想，幸亏这事没跟波留奈说。

正好社长的长篇大论结束了，良多鼓起掌来。接下来上台的是部长上山。

"看样子啤酒也温得刚刚好了……"

上山略略调侃起社长的致辞长，引得全场哄笑。

良多也高声大笑。但波留奈依旧死死盯着良多的侧脸。他把视线移过去，波留奈正一脸挑衅地看着他。

"你这话说得可真是刻薄啊。"

本想稍微开开玩笑，但声音却变得冷硬起来。

"因为有人不给我当母亲的机会呀。"

波留奈的声音完美地披上了玩笑话这个伪装。明明是挖苦人，却依然风情万种。

良多马上回嘴了。在这件事上双方是对等的。

"你也从一开始就根本没那个想法吧？"

"你不是也没有想要做父亲的心思吗？"

两人就这么互相调侃着，仿佛回到了往昔。的确，两人之间根本没什么刻骨铭心的东西。

分手的时候多少发生了些冲突。冲突的原因不过是被脚踏两只船，这大大伤害了波留奈的自尊心。而且，对手还是一个与波留奈恰好相反的、个性顺从、什么都不知道的年轻女孩，而且居然还怀了孩子。

那时，波留奈对正在茶水间仔细地泡着茶水的绿说了一句话："我就是为了不变成你这样的女人，才一路打拼着活过来的。"

"不过呢……"

波留奈意味深长地把视线投向上山部长。这次上山的讲话时间很长，这很少见。

"我的嫉妒不过是小儿科。最可怕的，是男人的嫉妒。"

良多还想问她拐弯抹角到底想表达什么，波留奈已经移步到合作公司的座位，推杯换盏、谈笑风生起来。

"Oh,my gad（god）！"

琉晴玩游戏又输了，这已经是他第三次说这句话了。算算时间，已经两个小时了。他几乎是默不作声地一直沉迷在游戏之中。

绿则一直在忙着织围巾，渐渐地她的动作越来越慢。并不是织累了，而是琉晴的存在总是不经意地让她想起庆多。

琉晴第三次游戏结束后，终于关掉了游戏机的电源。

"请问现在几点了？"

琉晴用敬语问绿。这些措辞让绿不由心痛起来，恐怕琉晴也一样感到拘谨吧。

"两点四十五分。"

庆多和琉晴都还不会准确地读出表盘上的时刻。不过，一到四点，良多就会回来开车送他回家，这件事琉晴倒是牢记于心。

"啊，还早啊。"

琉晴自言自语地嘟囔着，又点开游戏机的开关。

电子音乐声再度响起。

"回家吧。"

绿仿佛在喃喃自语一般说道。

"啊？"

琉晴的眼睛在发光。

"要回家吗？"

"嗯！"

琉晴回答的同时，迅速把游戏机塞回书包，直接冲向门口。

绿的内心也雀跃起来，但是下一个瞬间她的脑海就浮现出良多那张十分不愉快的臭脸。绿把那张脸压在心底，开始做出门的准备。

从东京站出发，坐新干线去往高崎，再换乘两毛线，他们抵达前桥大岛站的时候已经过了五点。路上花了大约两个小时。琉晴十分开心，在电车里一直叽叽喳喳说个不停。特别是他第一次乘坐新干线"Max"，更是喜不自胜，那股兴奋劲非同寻常。

绿心里充满了罪恶感，后悔自己一直把琉晴关在房间里。

一下到前桥大岛站的站台，琉晴就立即小跑着爬上楼梯。

"我回来啦！"

在楼梯的顶端，琉晴就冲向正在检票出站口对面等候的雄大和由佳里。

"欢迎回家！"

由佳里紧紧地一把抱住扑进怀里拥抱自己的琉晴。

大和和美结则从身后抱住琉晴。

在雄大的身旁，庆多却紧盯着检票口的深处。

绿一看到庆多的身影，立即小跑起来。过了检票口，她几乎是跌坐在地上一般屈膝在地，一把抱住庆多。

"妈妈。"

庆多如耳语般轻声呼唤着。

绿几乎要说出"对不起"，但是她把这句话咽了回去。

"有好好听话吗？"

绿问庆多。

"嗯。"

庆多的大眼睛闪耀着喜悦的光彩，并不像琉晴一样全身上下都表露着欢喜。但是绿却知道，庆多现在有多么开心。

"对不起啊，让你送到这里。"

由佳里抱着琉晴，跟她道歉。

"没事。这里也是我的老家。"

"啊，是吗？"

由佳里回答着。这时雄大从身后探头探脑地看检票口处。

"咦，良多先生没一起来啊？"

绿的神情立即黯然了。

"好像是有个什么……重要的会议要开。"

绿撒谎了。她说不出口是参加宴会。

"还真是热爱工作啊。"

雄大嘟囔着，似乎是在自言自语。素来不正经的雄大的这句话却深深刺痛了绿的心。

"我倒是想让你好好跟人家良多先生学习学习呢。"

由佳里打趣他。

"笨蛋，我还没……"

"是啦是啦。你就是还没动真格，对吧。不过，要是还不快动真格，这一辈子怕是没机会喽。"

"别擅自给我结束人生了，这不是还剩点时间嘛。"

绿不由失笑。果然，这两口子就像夫妻漫才组合。

绿握住庆多的手。庆多的小脸皱了皱。绿仔细一看，他两手都贴着创可贴，血都渗出来了。

"怎么了？"

绿的心猛地一紧，她还从没让庆多受过流这么多血的伤。

"啊，那个啊。刚才，在附近的公园弄的。"

由佳里若无其事地说着，又开始询问琉晴玩了什么。

"没事吧？"

绿担心地握着庆多的手，紧紧盯着他的脸，心想，没有其他的伤口了吧。

"赛跑摔的。"

庆多的脸上带着笑容。

可是，绿却死死盯着渗透了庆多的血的创可贴，有种想当场撕掉创可贴确认伤口的冲动。

"虽然出了点血，不过马上就止住了。"

由佳里这才注意到绿一脸的担心，连忙搭话。

绿点点头，没看由佳里。

绿坐上十七点四十五分发车的两毛线电车前往高崎。由佳里帮忙查了时刻表，应该能赶上十八点二十一分发车的新干线。

两毛线的车厢内空落落的。太阳已经西沉，窗外的景色被夕阳的余晖笼罩，令人哀伤。

庆多变得比平时要健谈，他迫不及待地想将在斋木家感受到的"文化差异"描述给绿听。

"这样啊，四个人一起泡澡啊。"

绿一边回答，脑子里一边浮现出庆多手足无措的样子。但是，说这话的庆多看起来却十分开心。这让绿感到悲伤。

"不过，好窄，只有我们家的一半。"

庆多仿佛察觉到了绿的心思，连忙说道。他仿佛知道要是说自己很开心，就会伤了母亲的心。

"琉晴的妈妈是个怎样的人啊？"

绿问道。庆多想了一会儿才回答：

"刚开始觉得挺可怕，但是其实很温柔。"

"是吗？"

绿的心情无法掩饰地低落下去。庆多会就这样跟由佳里渐渐亲近起来吗？那么琉晴又究竟会如何跟由佳里说起自己呢？

"庆多……"

"什么？"

"我们两个就这样去个什么地方吧。"

绿不假思索地说道。

"什么地方是指？"

"很……远的地方。"

"哪里的、很远的地方？"

"谁都不知道的地方。"

庆多再次沉默地思考着。

"那，爸爸怎么办？"

绿无言以对。

野野宫家是个三角形结构。这个由良多、绿和庆多构成的三角形是个等边三角形。绿和庆多连接的底边很短，非常短。而顶点的良多却站在十分遥远的地方。即便这样也挺好，弯曲着也好，看起来不安定也罢，这就是野野宫一家。绿对此深信不疑。然而，一旦把庆多"换"成琉晴，这个三角形就会崩坏。而良多却从来没想过这一点。他以为是可以继续维持这个三角形的。

"爸爸有工作啊……"

绿把心里的话说出了口。

良多免去了送琉晴回去这个任务，便在宴会结束后又扎扎实实忙完了工作，直到晚上八点半才把车开进公寓的停车场。

像往常一样，他踏着响亮的步子，走在通往电梯间的通道。

打了对讲电话却没人答。他算过了，他们坐电车的话，最迟八点也该回来了。

良多打开门锁，推开了玄关的大门。

家里空无一人。可是庆多的鞋子还在。

过了一会儿良多才注意到，浴室里隐约传来庆多的歌声。似乎绿也罕见地一起进了浴室，用略有些走调的声音在跟庆多合唱。

庆多五岁以后，经过应试补习班的指导，就开始一个人泡澡了。

良多脱下西装，摘下领带。

他坐在餐桌旁，深深地叹了口气。最近，他开始感觉到从未有过的疲惫，回到家一旦坐下，就懒得再站起来了。

几近纹丝不动地坐着发了一会儿呆，良多听到浴室有声音传来。

他们似乎是泡完澡出来了。

"我回来了。"

良多说。

"欢迎回家。"

庆多的头上顶着毛巾走出来，已经穿好了睡衣，结结实实地绑好了腹带。

在他身后，绿也走了出来，睡衣外还穿了一件长袍。

"吃过饭了吗？"

"吃了点晚宴剩下的东西。"

"这样啊。"

"为什么一起进去泡澡？"

良多一问，绿就笑了。

"庆多说手受伤了，不能自己洗。"

绿一边说着，一边屈膝蹲在庆多的面前，给他的手消毒。其实是想给他贴上治伤贴的，不过说明书上写着：如果伤口时间太久，就没有效果了。

"贴个创可贴吧。"

伤口没有原本担心的那么深，而且如由佳里所说，血也止住了，泡过澡也没有再出血。

"琉晴家里管这个叫绊创膏哦。"

绿忍不住笑了。

"这伤口是在那边弄的？"

良多问道，带着质问的语气。

"是。"

绿冷淡地答道。

"怎么回事？"

"说是玩的时候摔跤了。"

"这不就是说明他们没好好看着孩子吗？"

"也没什么大事啦。"

"弄出什么大事来就晚了。"

绿没说话。

"那边有好好道歉吧？"

绿沉默着摇摇头。

"让孩子受了伤，连一句对不起都没有，这是怎么回事！"

良多越说越激动。

绿一边把创可贴的包装袋扔进垃圾桶，一边说：

"那，你跟我们一起去不就好了。现在冲我发脾气，我有什么办法呢？"

语气变得冷冷的。

良多陷入了沉默。

"好了，跟爸爸说晚安。"

庆多说了句"晚安"就朝卧室走去。绿在卧室门口看着庆多爬上床，然后轻轻地回到客厅。

"宴会很热闹吧？"

"啊，还好……"

绿打断了良多的话。

"我的事，大家没说什么吗？"

"啊……"

良多努力搜寻着用词，脑海里闪过波留奈说的话。

"当母亲的应该看得出来吧，诸如此类。感觉波留奈小姐会说出类似的话呢。"

"没……"

良多又支吾着不知该说什么好。这让绿焦躁起来。

"你其实也是这么想的吧？"

"没这回事。"

"撒谎，明明你就是觉得都是我的错……"

绿还想再说些什么，这时庆多从卧室里走了出来，手里拿着去年坏得无法动弹的机器人玩具。

本以为已经睡着的庆多突然出现，让两个人变得冷峻的脸立刻换成了面带微笑的假脸。

"怎么了？"

这对良多来说简直就是救命的神，他的声音变得很轻柔。

"下次什么时候去琉晴家呀？"

"还是下个周六。为什么问这个？"

绿不安地听着。

"这个，我可以带过去吗？"

"可以啊。"

绿的声音有些嘶哑。

"琉晴的爸爸会修玩具哦。"

庆多的话触动了良多，他仿佛戏弄庆多般地开玩笑道：

"要不，顺便让他把收在那个储藏室里的电热器也修了？"

绿只想捂住耳朵。

斋木家连续两天晚餐都是饺子。因为琉晴从美结那里听说了昨天的晚餐，便坚持要吃饺子。由佳里和雄大也没有反对。

两人都想念着琉晴腮帮被饺子塞得鼓鼓的可爱模样。

那天，由于雄大一边吃饺子一边喝啤酒，结果喝多睡着了，很晚才进浴室开始泡澡。

雄大半晕着脑袋，三个人一起泡了澡。在从浴室出来去卧室的时候，雄大停住了脚步。和往常一样，讨厌被由佳里擦头发的琉晴开始四处乱窜。好不容易将他捉住，用毛巾把琉晴兜头罩住的由佳里就那样静静地站着。终于，她紧紧地抱住了琉晴。

是不是要哭了，雄大做好了心理准备。然而，很快由佳里就拿着毛巾使劲地擦起琉晴的头发来。

琉晴再次哇哇大叫着逃开了。

"来，大家一起睡吧。"

由佳里捕捉到雄大说话声音里隐隐带着的一丝寂寥。

　　由佳里始终在忧心："这样下去好吗？"但她并没有把这忧心诉诸语言，去说给雄大听。即便说出口，雄大也只会摸不清头绪地说一些玩笑话。但是，在雄大内心深处有着一种类似生存信念的东西，这种东西绝不会动摇。表面看着像是棉花糖，内里却坚韧刚强，但又绝不是固执己见，而是用宽广、博大的胸襟包容着一切。

　　这是由佳里不曾对任何人说起的雄大最大的魅力所在。

　　可是，她心中的不安却挥之不去。这回出的事实在太大了，她心想。

7

　　这周六是第十二次交换留宿。如此频繁、不间断的每周末见面，让孩子们彻底成了好朋友。于是他们稍微修改了之前的方式，改成周日各自早些从家里出发，在前桥和埼玉的购物中心或公园等地会合。如此两家人就有时间一起玩耍了。

　　这样一来，父母们的心情就轻松多了。良多还是一如既往的忙碌，光是周六往返前桥接送孩子已经是他的极限，所以他基本没有时间参加周日的活动。

　　不过良多本就对两家人加深交流这件事持怀疑态度，压根也没想过要积极参与。

自然而然，就变成绿带着孩子坐电车和公交车前往目的地。不过对绿来说，这样反倒轻松，如此甚好。

医院那边的织间律师建议在上小学之前交换孩子，不过绿和由佳里都觉得这样有些操之过急了。哪怕需要花上好几年时间，他们也不愿意这般急着交换。

绿知道雄大也差不多是相同的想法，只有良多似乎一直在回避表态。这在绿看来，良多是想有更进一步的动作。

如此想着，绿的内心开始对良多有所期待，期待着他那句"交给我吧"。良多是个言出必行的男人，为此他将付出一切努力。

可她也有担心之处，那便是良多一直以来所实现的事，几乎都是与工作相关。

第十二次交换留宿因为琉晴的入学典礼而延期。

而在这天的前一日，也就是周五——四月五日则是庆多的入学典礼。

进入三月后，连日都是暖和的日子，樱花到三月末已然盛放。良多公寓附近有一条在市内也名列前茅的沿河樱花步道，每年都热闹非凡。不过现在人势已去，勉强残留了些许樱花。

绿的母亲里子坐始发电车到东京，所以一大早家里就开始热闹起来。

"妈妈，今天在这里住下吧？"

绿一边在卧室给庆多穿小学的西装制服，一边问跟良多一起待在客厅的母亲。

"啊，明天编织教室有课，我要回去呢。而且，你这儿就跟酒店似的，睡不踏实。"

良多就坐在跟前，里子毫不顾忌地说道。

绿叹了口气。但愿良多别生气。

做好了出门准备，良多穿好西服与里子并排站着，一起欣赏着窗外的美景。绿的操心是多余的。良多听了里子的话笑了笑。"就跟酒店似的，睡不踏实"，在良多听来简直是一句褒奖的话。他想要的便是这样的房间。

不过，客厅里多了酒店里没有的东西——学习桌。为了不破坏房间的氛围，他特意没有选择有童趣的桌子，而是选了原木材质、简约、昂贵的桌椅。

在网上找寻和下单都是良多一手操办。

"在战争时期，这种事多得很。"

里子想要劝劝良多。

良多一边眺望着窗外的风景，一边沉默地听着。

"有些年代里，寄养孩子、领养孩子都是平常的事情。不是都说'生儿不如养儿亲'嘛。"

里子是反对"交换"的。

"还没决定要交换呢。"

良多声音沉着地说。

"可是，因为……因为，你不是一直在跟那家人见面吗？见面不就意味着是打算往那个方向发展吗？"

里子喋喋不休道。

"这种事吧……"

良多拔高了声调。

"嗯。"

良多把身子转向里子，继续说道：

"我们夫妻俩会好好商量，之后再做决定。"

良多的话里有种令人不敢再多言的强硬姿态。

"哎呀，对不起，我这老婆子真是……我是不是多事了呀？"

里子嘴里说出来的话能让人感觉到一种独特的幽默，听着并不像不高兴的样子。

"哪里哪里，我会把这当成您宝贵的意见。谢谢您了。"

良多也半开玩笑地行了一礼。

"那就谢谢了。"

里子也恭敬地低下头去。

"好啦。"

绿从卧室里走出来。她的身后站着一位身着制服的小小绅士。

"锵——锵——"

绿说着把庆多推到前头。

庆多虽然有些难为情，但还是开心地笑着。

"哎呀，这是哪里来的小王子啊，来拍张照片。"

里子拿出最近刚买的数码相机，却怎么也拍不好。良多刚想帮忙，对讲电话响了。

绿拿起话筒，显示屏里出现一张意想不到的脸。

"我来啦。"

显示屏中的雄大不好意思地说。

"早上好。"

绿跟雄大打完招呼，便告诉良多。

"是斋木先生。"

良多惊讶得措手不及。对方并没有提前联系说要过来。

今天的雄大穿着西服。不过，可能是因为平常并没有穿习惯，总给人一种西装是被雄大强行穿上身的违和感。

"不好意思，医院说会报销新干线的路费的。"

雄大一边走进玄关，一边向迎上来的良多解释自己为何会突然造访。

良多依旧保持着诧异的神情，并未打招呼。

"啊，这个。"

雄大把土特产递给绿，是一种叫"旅鸦"的群马特产的招牌点心。就是第一次在东京跟医院方会面时，医院那边带过来的那种点心。

"让您费心了。"

绿接过点心，给雄大拿了拖鞋。

雄大穿上拖鞋，走进客厅，发出感叹：

"呀，就是这儿啊。琉晴提到过，还真的跟酒店似的呀，真好啊。"

雄大看到穿着制服的庆多，立即蹲在他面前。

"哦哦哦，真是帅气的男子汉啊。咦，这是哪国的小王子啊？"

绿不由地笑了。雄大跟里子说了一样的话。

"初次见面，我是庆多的……"

里子跟雄大打招呼，雄大立即站起来回了一礼。

"啊，您就是外婆吧，住在前桥的。初次见面。您可真年轻啊。"

"哎呀，你恭维我可捞不到什么好处哦。"

"什么呀，早知道我就不夸您啦。"

两人互相开着玩笑，开怀大笑起来。似乎两人之间根本不存在隔阂。

"听说你经营一家电器店？"

"对，就是个只能卖些电灯泡之类的小店而已。"

"哎呀，我一个人生活，年纪也大了，就有各种顾虑啦。我还想着不用煤气了，都改用电器呢。"

"啊，要是这样的话，我可以过去帮忙啊。您住前桥的哪里？"

两人简直就像多年老友般无拘无束地闲聊起来。

绿看着雄大和母亲，他俩一样，都是性格豁达开朗的人。

通往学校的道路两旁并列栽着樱花树，可惜大部分都已经凋落，花朵已是寥寥无几。

雄大似乎是有意回避，在后面一边跟着，一边用摄像机拍着夹在良多和绿中间的庆多。

里子有些过意不去，便过去搭话。

"虽然我没多大把握吧，不过这个按着按钮就能拍，是吧？我来拍，你要不要也一起过去？"

"不用了，没事的。"

雄大果断拒绝了。既然到这儿来了，他也是做足了心理准备的。不过，他内心早已决定，绝不会掺与到良多和绿中间去。

看到庆多蹲下来在地面上捡起来什么东西，雄大立即举起摄相机追寻着庆多的身影。

"啊，是花瓣呢。"

绿说道。

"给我看看，给我看看。"

雄大一边说着，一边靠过去从正面拍庆多。

"花瓣。"

庆多说着，把掌心中的樱花花瓣摊开。

雄大给那片花瓣拍了张特写，之后将庆多的脸放大了。

"还是我来拍吧，你也一起去比较好。"

里子还是过意不去，对雄大说道。雄大却慌忙摆摆手。

"不用啦，没关系。我就这样拍拍自己就可以。"

雄大伸长手，把自己的脸自拍给里子看。

"这样能拍进去吗？"

"能啊，没事了，可以的。"

良多也明白雄大是在刻意回避，这让他感到厌烦。良多十分不快地瞧着雄大。

雄大感叹着庆多所上小学的校园如何狭窄，里子也深表赞同。不过，良多一告诉他们这附近的地价，两人都惊得目瞪口呆。

良多很想让雄大知道，庆多进这所学校时他交纳的所有钱的数目，估计这就足以让雄大胆战心惊了吧，对将来把交涉朝有利的方向推进应该是很有帮助的。

但良多选择了闭口不言，毕竟这些话没必要非在今天说。

"野野宫庆多。"

教室里年轻的班主任老师叫着庆多的名字。

"到！"

庆多大声回答，并举起了手。

毕竟都是在考试中胜出的孩子，每个孩子都能清晰地回答。没有一个孩子哭，也没有一个孩子不回答老师的点名。

庆多回答完，就朝着良多等人的方向挥了挥手。

良多把这个动作定格在了照相机里。

一旁正在录像的雄大也朝庆多挥了挥手。

良多觉得这举止很不体面，这不是身为父亲该有的举止。

"我觉得挺不可思议的。"

雄大小声对良多说。儿子如此重要的场合父母却在窃窃私语，良多对此亦觉得十分不悦。

雄大却毫不在意地继续说道：

"我是看着庆多的脸才取了'琉晴'这个名字的，对吧？可是，现在的庆多却长着一张就应该是'庆多'的脸。"

良多没有回答。雄大的这番话说得让人摸不着头脑。但是不知为何良多也有所感悟，只是他不愿承认。

交换住宿在之后也顺顺利利地继续着。由佳里提议黄金周两家人可以一起出去旅行，但是由于良多工作的关系，最终还是变成了普通的留宿。

事情就发生在刚进入梅雨季节的第二十次交换住宿的时候。他们周六各自住下，第二天周日又去了两家人第一次见面的购物中心。

　　这次良多也抽空参加了。良多的内心是有所期许的，到了第
二十次的节点了，差不多时机也成熟了吧。

　　良多一边左思右想着摊牌的方法，一边坐在儿童乐园一角的
小吃柜台前喝着冰咖啡。良多面前摆着一个玩具机器人，这是很
久以前庆多拿去给雄大修理的，因为没找到替换的配件，雄大只
好从制作零件环节开始，结果花了不少时间，到今天才终于拿回
来了。

　　良多按下按钮，机器人就开始走动起来，转着圈，用胸前展
开的装甲喷着火花开始攻击。它原本一动也不能动，如今却完美
复活了。

　　自己可是很少见到庆多露出这样开心的表情，这多少让良多
有些嫉妒。

　　孩子们和雄大在海洋球池里闹腾着做游戏。绿和由佳里在一
旁聊着什么。

　　"良多先——生！我说，小——良！来接力！换你来！"

　　池子中央，雄大被孩子们骑在身下。他连忙向良多求救。

　　良多摆摆手拒绝了。

　　于是，绿和由佳里便接替雄大，到池子里去了。

　　雄大晃晃悠悠地在良多旁边的座位坐下，满头大汗，直喘着

粗气，那神情却是快乐的。

"哎呀，已经不行了，不行了，累死了。至少四十岁之前得把孩子都生了，身体吃不消啊。"

雄大咕咚咕咚地喝着冰块已经完全融化的可乐。吸管明明已经被他咬得不成样子，却还能大口大口地往上吸。

良多心想，要摊开说的话，可能两个人的时候会比较好。虽然掌管大权的是由佳里，不过先把雄大说服的话，可能之后会更顺利些。最重要的是，雄大是个很容易被说服的男人。

良多刚想开口，就被雄大抢了先机。

"良多先生比我这老骨头年轻，还是多挤出点时间跟孩子一起比较好。"

雄大用拉家常的语气说着，但也是在抱怨，大概是不满意他跟琉晴相处的方式吧。不过，说抱怨的话，良多的不爽可是雄大的好几倍呢。

良多虽然生气，但还是刻意用轻快的语气回答，这个话题还是速战速决吧。

"这个，世上有各种各样的亲子关系，这不是挺好的嘛。"

雄大接着说：

"听说你也不跟孩子一起泡澡？"

良多刚要说那是为了入学考试，但还是闭了嘴。在要求独自泡澡之前，良多和庆多一起泡澡的次数就屈指可数。要是这处再被攻击，面子可就挂不住了。

"我家的方针就是培养孩子什么事情都可以独立完成。"

听了良多的答复，雄大笑了。良多对他这一笑很是不爽。

"是吗？方针啊。要是这样我就没话可说了。不过啊……"

雄大又吱吱作响地吸了口可乐才接着说：

"对这些事，你可不能嫌麻烦啊。"

这句话一下刺中了良多的心。他很排斥这句话，而原因并不是他有可以辩驳的理由，而是他感觉自己的内心似乎被看穿了。

雄大难得一脸正经地继续往下说：

"这话我也不想说，不过这半年的'交换留宿'，我跟庆多在一起的时间，比迄今为止良多先生跟庆多在一起的时间都要长啊。"

这话说得也未免太绝对了。就仿佛他一直看着这六年过来似的，这么说不过是一厢情愿的偏见罢了。

良多几乎想要发脾气了，但最终他停顿了一下，回避了这个问题。

"我觉得不仅仅是花时间的问题吧。"

良多的言外之意是还有财力的问题。

"说什么呢。就是时间啊，孩子就是时间。"

雄大坚持道。良多却不以为然地继续说道：

"有些工作是非我不可的。"

雄大直视着良多。良多也直直地看回去。

"为人父也是非你不可的工作吧。"

雄大宛如说教般地说道。

良多艰难地挤出一丝苦笑。然而，这丝苦笑并没有让他的心情变得轻松。

良多注视着正在嚼着吸管的雄大的脸。雄大一脸平静地看向他。

良多找不到话来反驳，最终他移开了视线。

他已经完全错过了说出那个重要话题的时机。

"喂，快点，跟上哦，不然把你们扔在这里啦。"

雄大朝孩子们喊话。说了好几次回家，结果孩子们却怎么都不肯离开儿童乐园。

由佳里和绿已经把桌子收拾得干干净净。

"感觉完全跟两兄弟似的呢。"

由佳里满脸喜色地说。

"真的呢。"

绿也深有同感。

从一旁看着这两人的状态，良多感觉到了危机。看来不能再这样拖拖拉拉下去了。

"啊，拜托打包一份咖喱猪排饭。"

雄大在小吃柜台前又点了一份新的。

看良多一脸不可思议的神情，雄大解释道：

"岳父大人还在家饿着肚子等着呢。"

"啊，原来如此。"

"已经有些老糊涂，又变回小孩了。家里仿佛有四个孩子似的。"

由佳里马上就对雄大的话发起反击。

"是五个孩子吧。我一个人根本就管不过来呢。"

"啊？第五个说的是我吗？"

绿心想，夫妻漫才组合又开始表演了。

这时，良多笑得异常开心，插嘴道：

"那还真是够辛苦的啊。那就，不如两个都让给我吧？"

空气骤然冻结似的。

"什么？两个是指什么？"

雄大进一步确认道。他想这应该是开玩笑吧。

"琉晴和庆多啊。"

良多不改笑容，声音明快，似乎这样就不会伤害到任何人。

"你这话是认真的吗？"

雄大的表情变得冷峻起来。

"是啊。不行吗？"

良多依旧面带笑容地答道。与此同时，雄大扬起了手，一巴掌落在良多的头上，发出微弱的啪的一声。看得出他本想揍人，却中途改了主意，结果就变成这种半吊子的敲打。

雄大愤怒至极，浑身颤抖着说道：

"还以为你要说出什么来……"

由佳里也逼问良多道：

"这也太失礼了……你到底是怎么回事！"

良多将了将弄乱的头发，摆正了姿势。

"现在听着有点唐突，不过考虑到孩子的将来……"

由佳里当即质问道：

"你是说当我们的孩子很不幸吗？"

由佳里面色赤红。一旁的雄大也因愤怒而握紧了拳头。

良多看着两人，长出了一口气，安静地开口道：

"我一直在考虑此事。所以我已经准备好了，可以开出一个大家都满意的数字……"

雄大推开由佳里，粗暴地一把揪住良多的衣领。

"打算用钱买吗？你想说让我们把孩子卖了换钱吗？嗯？这世界有钱能买到的东西，也有钱买不到的东西！"

良多挣开雄大的手。

"你自己不是说过吗，诚意就是拿钱。"

听到良多轻蔑的言语，雄大想再次冲上去揪住他。由佳里也要过来帮忙。

绿慌忙挤进去，朝雄大和由佳里低头鞠躬。

"对不起！我家这位，说话不太……那个……不会说话。孩
子们也在看着呢。对不起！"

良多满脸恼怒地把脸转到一边。

由佳里和雄大发现孩子们停下了刚才的打闹，紧张地盯着
这边。

"从来没输过的人还真的完全不会理解别人的心情啊。"

雄大说着，付完咖喱牛排饭的钱，和由佳里一同朝孩子们的
方向走去。

良多始终一脸不服气的神色，冷眼盯着雄大等人远去的背影。

在购物中心稍稍往前的路边车站，良多停下了车。这是平常
去里子家的时候，都会中途停靠的休息站。

庆多像往常一样，拿着五百日元的硬币去自动贩卖机买果
汁了。

"这下怎么办？"

绿打破了沉默，语气带着责备。

"嗯……"

应该还有其他办法的。轻视对手，又操之过急才是失败的
根源。

"在那种场合，开玩笑似的说出那种话，简直难以置信。任谁都会生气的。"

"你消停会儿吧。我现在正在想事情。"

良多皱着眉头，陷入沉思。

注视着他那张侧脸，绿终于回过神来。这就是良多说的"交给我吧"的底牌吧。的确，它有着恶魔般的诱惑力，一个肆意践踏斋木一家自尊的恶魔，释放着不用失去任何东西而将一切尽收囊中的诱惑力。

绿对良多的话心生抵触。但同时，她内心的某处却被那恶魔般的诱惑力所蛊惑，无法忘怀。

自己竟然也动了这种念头，绿心中升起一股对自己的厌恶。她责备良多道：

"好不容易才开始变亲近了……"

如此一来，一切都会回到原点吧。想到这里，绿却觉得心里轻松了些许。与斋木家彻底翻脸的话，交换之事就可以化为泡影了……

这时，良多突然地冒出一句令她无法置信的话。

"凭什么我非要被一个开电器店的家伙说三道四？"

绿目瞪口呆，再也不想多说一句话。

车门打开了，庆多递过来一瓶罐装咖啡。罐装咖啡只剩下冰咖啡了。夏日已近。

"妈妈是牛奶咖啡，爸爸是无糖咖啡。"

"谢谢。"

夫妻俩异口同声地跟庆多道谢，脸上装出来的笑容越发生硬。

两人想起来，两天后的周二，又不得不跟斋木夫妻见面。根据一月份提交的诉状，那天要在前桥的裁判所开庭审理。

到时候，野野宫家和斋木家将要作为证人出庭。

根据约定，大家要在开庭审理前的三十分钟到裁判所，跟铃本律师会合。原本预计斋木家也应该在这个时间出现的，果然又迟到了。绿稍稍松了口气，就这样不要出现，让所有的事情都烟消云散，回到最初该多好。

"放松，不要太生硬。"

铃本对绿说道。

"就像前几天练习过的那般说就没问题，这跟入学考试的面试是一样的。"

铃本太忙了，只能通过电话"练习"，因为他必须要回答医院那方的织间律师的询问。

"野野宫，你还记得一个叫宫崎的护士吗？"

突然被铃本问道，良多歪了歪脑袋。

"不记得了。你呢？"

良多问绿。

"不记得。不过看到脸可能会想起来。"

"那个护士要作证吗？"

良多不安起来，忙问道。医院方面之前都完全没透露过这个护士的存在。

"这个，估计是医院那边想要证明当时的工作状况是没有失误的吧。"

从铃本的语气来看，似乎也不是什么少见的事。

这时雄大和由佳里来了。刚跑过来，雄大又一如既往地开始找借口。

"刚要出门，这家伙又说熨斗怎么怎么了……"

由佳里捅了捅雄大。

"拜托，现在别开这些无聊的玩笑！"

由佳里用尖锐的声音训斥起雄大来。

绿朝由佳里低头致歉。

"前些天真的很抱歉。"

绿一边低着头，一边瞥了一眼良多。

良多僵硬着一张脸也低下了头。

"抱歉……"

雄大和由佳里也别别扭扭地打了招呼。由佳里还是绷着脸，雄大却受不了这尴尬的气氛，开口道：

"啊，没事……那个，我们也是那个……"

由佳里又捅了捅雄大的侧腹，让他闭上嘴。

法庭之上，三个女人并排站着宣誓。绿、由佳里，还有护士宫崎祥子。绿对祥子的脸毫无印象。

"宣誓。我谨在此宣誓遵从良心，真实陈述，不隐瞒任何事实，不做任何虚假陈述。"

雄大和良多则在旁听席，各取阵地。几个医院相关人员坐在一起，事务部长秋山也在其中。另外还坐着好几个男男女女，手里都准备了笔记本，看来是记者。似乎是听到风声，难得有个"抱错孩子事件"，他们都是前来取材的。

首先进行的是织间对绿的提问。

"见到孩子是在产后第几天？"

织间提问的姿态十分傲慢，与吃饭的时候截然不同。不过，这是铃本早已预料到的问题。

"能好好看看孩子的脸、抱抱他，是在产后第三天。在这之前我一直是昏睡不醒的状态……"

"你觉得那时候抱的是庆多，还是琉晴？"

"老实说，我不知道。"

织间鼻子"嗯？"了一声，停了下来，低头看了看资料。

"这两个孩子出生时的体重相差三百克。即便假设医院那边有失误吧，稍微注意一下，不是也能分辨出来吗？你可是孩子的母亲。"

这也是铃本预料中的问题之一。尽管这个问题颇具挑衅意味，但绝不能在此发怒。

"我想，如果是正常状态的话应该是可以，但是我产后出血严重，好几天一直都是意识模糊不清的状态。"

织间就此结束了提问。

接下来，由佳里站在了证人台。

织间对由佳里也抛出了同样的问题，问是否也没注意到孩子有了变化。由佳里说，刚生下来的孩子就是一直在变的，一天一个样，所以没注意到孩子换了。她也接受了铃本的电话"训练"。

织间进一步问由佳里道：

"现在，两家人的孩子正往返于两个家庭之间吗？"

"是的。因为医院那边说，这样做最好。"

由佳里看起来愤怒不已。在这种场合还能毫不畏惧地表达自己的感情，绿十分羡慕她那种刚毅的性格。

"今后感觉能顺利地朝交换的方向发展吗？"

这也是铃本预料到的问题。

"谁知道呢。就算是阿猫阿狗也行不通。"

这回答让铃本捏了把冷汗。这跟原来设想的答案不同。但由佳里随即把话拉回了正轨，说出了铃本教她的话。

"就算是交换了，也不能保证之后就能一帆风顺。而且，给我们家庭造成的负担也绝对不是一时半刻的，今后的人生都会一直痛苦下去。"

虽说是律师教的话，但是言语之间饱含着由佳里的愤怒。绿听着，用力地点着头。

最后轮到护士祥子站上证人台。这个女人三十二岁，一头乌黑的长发令人印象十分深刻。绿觉得她不像个护士，一副提心吊胆的模样，丝毫不敢与绿等人对视。妇产科的护士给人的印象都是干脆利索到让人害怕才是，绿觉得对方这副姿态很不自然。

"你作为前桥中央综合医院的妇产科护士，是从哪年哪月工作到哪年哪月的？"

面对织间的提问，祥子依然低垂着头，用虚弱的声音回答道：

"二〇〇四年的四月到二〇〇六年的八月这两年。"

"已经辞职了。那么你现在的职业是？"

"从那里辞职后，就是家……家庭主妇。"

她非常紧张。气温才刚过二十摄氏度，还有些凉，但祥子的脸上却有汗水滚下来。

"我想问问当时的工作状况。有过连续好几天上夜班的情况吗？"

祥子摇摇头。

"没有。有些医院妇产科夜班很频繁。不过那家医院的轮班相对比较轻松。"

"这样啊。那么，你认为，为什么会发生这样的事故？"

听到织间的这句话，祥子反复地上下点头。她一边点头，那张脸也越来越扭曲。

"事故……"

"你说什么？"

织间问道。

"那个……不是事故。"

她的声音小得仿佛就要消失不见，但还是传到了旁听席。整个法庭鸦雀无声。

"你说不是事故，这是什么意思？"

祥子再次沉默着反复点头，最后似乎终于下定了决心，抬起了头。

"因为野野宫太太一家看起来太幸福了，所以我故意换的。"

旁听席沸腾了。医院相关人员中甚至有几个站了起来。良多、绿、雄大、由佳里一时间都陷入哑然，只是吃惊地在旁听席死死盯住祥子的背影。

"到底怎么回事，这是？"

织间持续追问，声音里掩饰不住的惊慌。

"那时我刚刚再婚，为抚养孩子终日忧愁……所以就把自己的焦躁撒到了别人的孩子身上。野野宫太太家很富裕，住着最贵的病房。老公又在一流企业上班，还有真心为自己高兴的家人陪伴在身边……"

说着，祥子已经泣不成声。

"跟她比起来，我却……"

祥子再也说不下去了。

绿想起了母亲说的话。

"这世界上看你们俩不顺眼的人还是很多的哟。那种'怨念'呀！"

我是个令人羡慕的人吗？不应该是这样。绿想起自己出院时医生对自己说的那番让她痛彻心扉的话。如果她知道的话，一定不会再羡慕自己了吧。

把织间换下来，轮到铃本的询问环节。事态的发展已经完全超出意料，但他还得冷静处理。

"还记得换掉婴儿的日期吗？"

"记得。七月三十一日。我是在下午沐浴的时候调包的。"

听到这话，良多紧皱着眉头，低下了头。

良多第一次去医院看到庆多就是七月三十一日的早上，在会见室看到了被护士抱着的庆多。那时候他慌慌张张地把照相机忘在了车里，所以没能拍上一张照片。之后的将近一个小时，他就那样远远地看着庆多，跟里子就孩子长得更像谁聊个没完。

之后，下午的沐浴结束后，良多也一直在看着已经被换掉的"庆多"。他记得那时又跟里子讨论起孩子像谁的问题。那个时候，他才第一次用照相机给庆多拍了照，一张又一张，乐此不疲。

也就是说，良多也没有发现婴儿已经被调换了。

他用眼角的余光看了看绿，绿也飞快地朝这边看过来，那眼神中有责备。

"你当时调换孩子的心情如何？"

听到铃本的提问，祥子的脸变得苍白，她答道：

"老实说，很痛快……一想到不幸的人不仅仅是我一个，我就轻松了……"

由佳里和雄大怒火中烧，他们站起身来。雄大张着嘴，无声地倾诉着难以言表的愤怒。

对斋木家来说这纯属飞来横祸。嫉妒的对象是野野宫家，也就是说，那个护士只是偶然地选择了斋木家的孩子。

铃本从恍惚中回过神来，稍稍思考后，提出一个问题：

"现在，为何你又改变主意，想要坦白这件事？"

"丈夫和孩子现在也跟我亲近了。终于可以平静下来思考之后，我对自己所做的事感到越来越恐惧。我想要好好地赎罪。"

祥子泪流满面。她突然转身朝向旁听席，对着良多和绿、雄大和由佳里深深低头鞠躬。

"真的很对不起！"

祥子没有抬头，再一次大声地道歉道：

"对不起！"

良多一动不动，其他人也一动不动。

退庭的时候，良多看到了被法庭工作人员带着从走廊走过的祥子的背影。她的身后跟着一个穿学生服的寸头少年和一个小学高年级的少女，还有一个胖墩墩的大个子中年男人。他们应该是祥子的家人吧。

他们的身后，一个肩上扛着照相机的记者模样的男人紧追而去。

一家人拐过走廊的角落，终于不见了。

良多寻找着铃本。

这家古色古香的咖啡厅位于从裁判所步行过去很快就到的地方。没有谁提议，野野宫一家和斋木一家，四人默然地走了进去。

店里坐着两位住在附近的老人，在离得稍远的座位看着报纸。店内十分清静。

　　四人坐在最里面的一个包厢里，一边一对夫妇地相对而坐。所有人都点了热咖啡，只有雄大一个人点了肉桂吐司。他解释着，早上为了托人照顾孩子，一直慌慌忙忙的，错过了早餐。

　　沉默了好一会儿，由佳里掏出一根香烟点着，吐出一大口浓烟，率先开口道：

　　"就因为抚养孩子心烦气躁这点事，就要遭这个罪，简直忍无可忍！"

　　雄大立即附和：

　　"对，就是啊。再说，那个女人一开始就知道有个继子还是选择再婚。说的好像都是别人的错似的。"

　　由佳里又狠狠地吸了一口烟。良多这才知道，原来由佳里是吸烟的。是在孩子们面前才忍住不抽的吗，还是在家时就算孩子在跟前也会抽？

　　"还说很痛快……"

　　由佳里喷着烟狠狠地吐出一句话，又继续说：

　　"难道她觉得这跟在商店里小偷小摸是一回事吗？"

　　雄大用勺子挖了些吐司上盖着的奶油，用舌头舔了舔，尝了尝味道后张嘴附和道：

　　"就是。那个女人根本就没弄明白，自己有多么罪孽深重。"

　　虽然语气听起来轻飘飘的，但看得出雄大也是以自己的方式在发泄怒火。

"她说她现在过得很幸福是吧，那个女人。所以才说什么要赎罪。少开玩笑了，没这么便宜的事吧！"

声音虽然压抑着，由佳里的语气却十分激烈。

"不过，那个。"

雄大把脸转向良多，继续说：

"这么一来，理所当然赔偿金是不是也该增加了？"

良多想摇头，身体却没有做出任何反应。这么一来过失不在医院，他可不觉得赔偿金还能增加。这回就变成了护士的管理责任的问题了。

"这是理所当然的吧。"

由佳里仍然愤愤难平，声音极具攻击性。

"这个，你找铃本先生问一问呗。"

雄大说道，语气宛如在跟跑堂服务生提要求。良多当即就想反驳，但最终还是老实地应下了。

"好的。"

良多轻轻点了点头。

"要被抓进监狱去的吧？"

一直沉默不语的绿抬起了苍白的脸问道，并没有特意问谁。

"那是当然的吧。"

由佳里依然怒气冲冲地说，然后把烟头捻灭在烟灰缸里。

"希望关她个五年、十年。这我还觉得不解气呢。"

雄大一边吃着吐司，一边难得地提高了声调。他也是愤懑难平。

所有人找到了一个共同的敌人，把积攒到现在的不满和愤怒都一股脑转向祥子。

良多有些犹豫，到底要不要把从铃本那里听来的话告诉大家。但他转念一想，也不能放任它就这样不断激化，于是开口道：

"这个，好像已经过了时效了。"

"过了时效？"

雄大一嘴的吐司几乎就要从嘴里喷出来。

"铃本说，如果罪名成立就是抢夺未成年人罪，但是时效是五年……"

听到良多这句话，反应最激烈的是绿，几乎是尖叫着说道：

"做了这样的事，道个歉就完事了？！开什么玩笑！"

"声音太大啦。"

良多责备道，绿却冷冷地回看着良多。

"这叫人怎么接受！我们今后还会继续痛苦下去，凭什么只有那个女人有时效！"

由佳里的声音也逐渐接近嘶吼。

良多却觉得绿像是在笑，虽然看起来极不自然，却是他好久不曾见过的笑容。

"一定是知道过了时效，才会跑出来说的，那个女人！一定是这样的。我一辈子都不会原谅她。那个女人，我绝不会原谅她！"

绿怒火攻心，面红耳赤。自从孩子被抱错的事东窗事发以来，绿的脸色就一直苍白如纸，如今似乎凭借着这满腔的怒火恢复了生机。

只有良多一人还保持着冷静。因为他觉得这很有必要。但也因此，他体会到了独自一人被孤立的滋味。

除了良多之外的三个人还在不断发泄着对祥子的怒火。

这时，良多突然想到，多亏了这事，他提出要同时抚养琉晴和庆多的事烟消云散了。

良多沉默地听着他们三个人七嘴八舌地发泄着满腔的愤怒。

最终，本来应该在天黑之前去接寄放在里子家的庆多的，最后彻底入夜了。在开往老家的车上，绿一直焦虑不已，只盼庆多不要哭闹让里子为难才好。良多开着车，一言不发，他很想说弄到这么晚都是因为绿。在咖啡厅里就属绿咒骂的话最多。

即使雄大想转移话题，绿也熟视无睹，只一味地将满腔怒火诉诸言语，疯狂发泄。

意外的是，庆多很老实地跟着里子边看电视，边吃完了晚餐的挂面，之后连澡都洗好了。看见良多等人回来，他也没有哭，而是十分开心地迎出来，说着"你们回来啦"。

　　良多和绿都真切地感受到了庆多的成长，但同时也感觉到了交换住宿的影响，这点不可否认。如此特殊的情况下，孩子们却还能健康成长，这让绿感到悲伤、感到心痛。

　　就如此这般发展下去，以后还会看到新的希望吗？不，一定不会有任何改变，只会更加痛苦。绿渐渐地再次陷入对祥子的愤怒之中，怒火在她脑海中肆虐地蔓延。

8

　　六月十六日是父亲节。庆多所在的学校利用手工课的时间，让孩子们以折纸制作的玫瑰花送给父亲。

　　庆多用透明胶将绿色的折纸粘在吸管上，做成花枝，又在各处粘上三角形的刺。

　　教室里巡视的老师见了庆多做的玫瑰花枝，夸了一句"手真巧啊"。

　　庆多喜欢做手工，手指很灵巧。良多虽说在建筑公司工作，但从没见过他做手工，看起来对手工一窍不通。可以说，庆多的手巧是遗传自雄大。

那天虽说是工作日，良多却从公司早退了。他被哥哥大辅一个电话叫了出去。现在根本不是能早退的时候，他本想拒绝，但哥哥说父亲病倒了，这就没办法拒绝了。

良多十分不情愿地和大辅约好了下午五点在都电荒川线的小车站前会面。

良多并不是在这个车站所在的街区长大，所以即便站在车站前，也没有任何感触。细想来，良多根本就没有称得上故乡的归处。虽说他在东京出生、东京长大，但他一路辗转，从山之手搬到下町、武藏野、东部、西部、南部。硬要说一个的话，记忆最深刻的便是在中野生活的那段时光。那时他还住在带着大庭院的房子里，事后才听说，那是租借的居所。即便如此，他从幼儿园到小学四年级也是一直住在那里的。而且，和庆多一样，他也在成华学院小学上学。良多既没有去过什么补习班，也没特别用功学习就被学校录取了。他成绩优秀，一直学的钢琴也弹得出类拔萃，甚至连老师都说让他进特别班……

大辅刚好卡着时间准时出现，把良多的思绪拉回到现实。

大辅比良多的个子矮，容貌也逊色不少。两人并排走在一起，估计也没有人会认为他们是兄弟。大辅更像妈妈，而良多长得像爸爸，所以才让他们的相貌看起来有些不同。大辅住在琦玉，在本地私铁沿线的小型房地产公司上班。他在房地产业内换

了好几家公司。不过，不管怎么换都无所谓，总之都不是能够成
为良多公司的客户的那种大型房地产公司。

今天是和哥哥时隔两年的再会。良多是很少往老家走动的。
听说大辅在盂兰盆节和岁末年关时都会去露个面。他有两个女
儿，一个上中学二年级，一个上小学六年级。据说他也会带着两
个女儿回父亲这边。时至今日，似乎父亲还会跟大辅说"再给我
生个继承香火的"。父亲觉得女儿不能继承香火。

"这是第二次？"

良多一边和大辅顺着都电沿线的路走着，一边问道。

"第三次了吧。听说一直在吃治高血压的药。"

父亲两年前脑梗死发作，在那之前他就因为高血压引起的并
发症导致肾脏出了毛病。虽说都是轻微症状，医生说只要改善生
活习惯，是没有必要吃药的。不过以父亲的倔脾气自然是听不进
去的。

听说这次也是脑梗死发作。母亲打电话通知了大辅。

"幸亏信子阿姨在啊。"

良多一说这话，大辅就苦笑起来。

"那当然是万幸。你啊，至少在一起的时候也叫一声'母
亲'吧。"

"嗯？我没叫过吗？"

良多装疯卖傻。信子作为后母嫁进这个家已经过去三十多

年，但迄今为止良多一次也没叫过她"母亲"。

"不过，竟然说想见见儿子们，父亲看来身体也变弱了啊。"

虽说是通过信子传话，不过毫无疑问，父亲可不是会说这种话的人。即便如此，良多也没有对日渐虚弱的父亲产生一丝一毫的同情。

"变得稍微虚弱些不是刚刚好吗？"

良多说着，看了看大辅手中的玫瑰花束，笑了笑。

"你带着这些东西去，老爷子不得感动地大哭出来？"

大辅再次泛起一丝苦笑来。

良多和大辅的父亲野野宫良辅和妻子信子住在金子第二公寓。那是一栋十分陈旧的公寓。

有厨房和一间六张榻榻米大小的和式房间，有厕所，不过没有浴室，洗澡要去公共澡堂。

这是良多第二次踏进这个屋子。不可思议的是，房间里依然散发着同样的气味，是以前良多和父亲等人一起生活时的味道。不是体味，应该说是各种各样的气味混杂在一起的一种生活气息。但是，是只有这房间里才散发的独特气味。

良多闻到这种气味就皱起了眉头。这气味并不能勾起什么美好的记忆。

突然，良多想到，绿和庆多生活的那间公寓的房间是否也会散发特有的气味呢？这气味会不会作为一种记忆被庆多回忆起来？

良多等人刚到，就有寿司店来送外卖了。这是一家连锁的外卖寿司店。

信子去拿寿司的时候，父亲良辅就在一个小沙发上昂首端坐，位于六张榻榻米房间最深处。两兄弟则并排坐在老爷子面前的一个矮茶几旁边。

父亲今年刚好七十岁。虽说老了，但他那犀利的目光依然强劲有力，脸上仍残留着昔日美男子的痕迹。若他站起身来，身高有一百七十五厘米。仿佛良多老去后便会是这般模样。

本应旧疾"发作"的父亲看起来十分精神，脸色红润，津津有味地喝着兑水的威士忌。看来，他并没有身体不适吧。

"这附近只有这样的店呢。"

信子一边道着歉，一边将木桶里端出来的塑料大盘子放在矮茶几的正中央。信子今年五十九岁，二十六七岁的时候当了继室。大概是因为衣服陈旧，她看起来很是老相。

"那么，是好了吗？您——的——病？"

良多用讽刺的语气向父亲问道。

良辅那锐利的双眼狠狠瞪了良多一眼。若放以前，这眼神就足以让良多吓得直哆嗦。

"我要不这么说，你们也不会来吧。"

父亲说着，紧盯着良多，喝了口威士忌。

良多深深地叹了口气。

"如果是钱的话，已经说过上次就是最后一次了吧。"

听到良多说这话，信子缩了缩肩膀，低下了头。打电话来要钱的是信子。良多想起来，接到电话的绿说，信子的声音惶恐不安，简直到了令人心生怜悯的程度。

"钱的话，我有。"

父亲一脸不快地说道，

"现在，我在三之轮做大楼管理员。而且，她也出去打小时工了。"

良辅用手指了指信子。

良多拿起堆在房间角落里的股票信息等杂志。

"这些也差不多收手了吧。"

良多粗暴地放下杂志。

良辅用冷峻的眼神紧盯着良多。

"良多……"

大辅代替父亲责备良多。

然而，良多看也没看大辅一眼。要维持现在的生活打打小时工就足够了吧。可是，一旦沾手炒股，必定会把之前给他的钱全砸进去，甚至还会申请贷款。而迄今为止，大辅援助父亲的钱还没到良多援助的三分之一多。

"啊，阿大，你喜欢鲑鱼子吧。别客气呀。"

信子打破这尴尬难受的气氛，向大辅招呼着。大辅也连忙配合着打量起寿司来。

信子站起身朝厨房去了。

"哎呀，实在是太想吃了。可是，现在却不得不控制高嘌呤食物的摄入呢……"

大辅对厨房里的信子说。

"是吗？痛风？"

信子问道。

"是啊，尿酸值太高。不过，今天呢，就破例吧。"

大辅夹起鲑鱼子吃起来。

"嗯，见鬼。为什么会这么好吃呢？"

这是两兄弟的共通点，不光喜欢鸡蛋，还喜欢鱼子。而且，两兄弟都被妻子限制着摄入量。

不过除此之外，这两兄弟完全没有任何相似点。大辅话很多，最受不了沉默不语，小时候还不是非常明显，从工作时起，他就彻彻底底变成话痨了。这样子的哥哥，比小时候，良多越发地看不起了。

"赛马怎么样了？"

大辅问父亲。

"哼。"

良辅只是哼着鼻子笑了笑，没有回答。

"啊，看这表情是输惨了吧。"

大辅斜眼偷瞧了父亲一眼，笑着开玩笑道。一旦察觉到气氛僵硬就忙着缓和，这是继承了信子的习惯吧。良多对这轻浮的举止怎么都喜欢不起来。

"多嘴。"

父亲严厉地瞪了大辅一眼，夸张地耸了耸肩。

良多心想，或许，父亲从骨子里就是个赌徒。他可以说嗜赌成疾。听说年轻的时候他在证券公司工作过，离职后就当了私人投资家，从以前的客户那里拿钱运作。据说吸引了相当多的客户，很有些名声。就在那时，良辅离婚了。原因没有说。只是某一天，良多从学校回来后，母亲就不见踪影，父亲也根本没打算好好解释，每晚都喝得烂醉而归。良多等人也没法过问。过了差不多半年，新的母亲出现了，就是信子。大辅倒是很快就跟温柔又漂亮的信子亲近了，良多却死活不肯接受她，但也没有反抗，只是不肯接受罢了。

仿佛再婚就是一个转机，之后的走势就开始不对劲了。家里的电话一天到晚响个不停，有时候深夜里电话都不停地响起。父亲几乎不着家，良多好几次看见信子对着电话不停地道歉。

良辅接二连三地投资失败。为了翻盘，他又开始更大的赌

博，但也失败了，不仅血本无归，还欠了一屁股债。最后，他如
深夜潜逃般灰溜溜地搬到了八王子住。

　　良多和大辅都转到公立学校上学，之前学的特长也只能放
下。家里的那架钢琴令他魂牵梦萦，始终难以忘怀。但是，连
四个人生活都嫌挤的狭小公寓，房间里是无论如何也腾不出空
间的。

　　那是良多小学四年级的时候。

　　事后，良多想过，那时倒不如来场真真正正的深夜逃亡。

　　搬家当天，良多最后一次来到成华学院。班主任是个上了年
纪的女老师。她表情沉痛，声音低沉，宣布道"野野宫同学因
为家庭缘故要转学了"。仅此一句，良多便觉得自己变成了一个
"坏人"。关系好的朋友、关系不好的同学、关系不好也不坏的同
学，所有人都用一种看异类般的眼神看着良多。有好几个还笑
了。他们并不是在取笑良多，大概只是在跟朋友嬉闹而发出的笑
声。对他们而言，良多要走的这件事，根本无所谓。

　　良多强烈地意识到，自己就要从这些他一直视为同伴的学校
同级同学中脱离出去了，那其中有些人分明比自己要"愚蠢"得
多。然而，却不是那些人，而是自己落伍了，就是这般没有道理
可讲。

　　良多由此体会到了超乎自己年龄的痛苦。然而，也是这痛苦

让良多成长。

父亲虽然在各行各业的公司中辗转上班，但只要炒股挣了钱，就会马上辞职。这些钱也很快就因为炒股和赛马被挥霍殆尽。然后他又开始找工作。他每次换工作，都会因为通勤而搬家，如此周而复始。

最终，他没法再回到原来的生活，只能在底层沉沉浮浮、起起落落。

"啊，泡茶啊。"

大辅站起身，去给在厨房中泡茶的信子帮忙。

哥哥在公立高中毕业后，就直接去街道上一个小小的房地产公司上班了。

良多却成功逆袭。他进入了地区第一名的公立高中，在那里取得了最优秀的成绩，作为奖学金生进入成华学院大学的建筑系。

良多没有接受父亲一分钱的援助，当然本来父亲也没有这个援助的财力。进入大学后他也是一门心思学习。他从心底里蔑视着那些从小学到初中，再到高中直接升上来的富家少爷们。

由于高中一毕业他就从家中搬了出去，开始做些家教的兼职，仅靠着兼职和刻苦学习，熬过了整个大学生活。唯一能让他喘口气、开心片刻的就是组建乐队的时候。他几乎没有机会参加社团的活动，但对吉他情有独钟。清晨在廉价租赁的工作室里，他享受着和铃本一起开演奏会的那种畅快淋漓……

"妈妈也看走眼了呀，才这般受累。"

大辅的声音再次把良多从回忆中拉了回来。莫非是因为许久不跟父亲和哥哥见面，所以变得感伤了吗？良多小小地自嘲了一下。

良多掩饰着自己的难为情，朝着厨房搭话。

"这是买错了马票啊。"

这当然是在调侃良辅。

良辅直瞪眼，良多就当看不见。他已经不再害怕父亲了。以前他连跟父亲说话都感到恐惧，可以说完全活在父亲的掌控之下，但自力更生进入大学以后，一切都改变了。父亲再也不是那种不可违逆的存在了。

良辅一边盯着良多的侧脸，一边说：

"就是小时候我让你上了很不错的学校，你才能变得那般优秀。要是有付给学校的那笔钱，早就翻盘了，现在我就过上舒坦日子了……"

这话良多已经听了许多遍，而且这话是话里有话的。他是在说"因为你继承了我的优秀基因，所以才这般优秀"。

不管怎么说，哥哥的存在就否定了他这一论点。毕竟哥哥，也同样继承了父亲的一半基因，还比良多在成华学院多学了三年呢，不也是现在这副模样。

说到底，不过是喝醉酒的胡话罢了。

良多当作没听见，夹了块寿司。竹荚鱼有种腥臭味，他就了口威士忌吞了下去。

良多的酒量很好，却基本上不喝酒。就是因为他把父亲视为反面教材。

"我也是没有赌博的天分啊。"

信子一边开着玩笑，一边把大辅端过来的茶分给大家。

"看来，我可能比较像母亲吧？"

大辅也开玩笑道，但笑的只有信子一人。

"不过，没办法啊，谁让我们是夫妻呢。"

信子是在良辅最风光的时候跟他结婚的。但是，应该是没过上什么"风光日子"。

良辅把装着自己要吃的药的袋子递给信子。信子从那个袋子里拿出一次的分量，一粒一粒地在良辅的面前摆好。

父亲有动脉瘤，右脚似乎有些疼痛，虽说如此，也不是走不了，更没到吃个药都要人服侍的地步。

"也用不着这么惯着他吧。如此一来，你就跟护工没分别了。"

良多半开玩笑地挖苦良辅。

良辅十分不满地哼哼，信子忙开玩笑地岔开话题：

"哎呀，要是护工的话，我得要个时薪一千日元才行呢。"

"笨蛋，那不是比我挣得还多了吗？"

良辅少见地开起玩笑来。看来是酒劲上来了。

"都弹了三年了，还是翻来覆去只会弹《温柔之花》，吵得我午觉都没法睡。"

良辅抱怨着从打开的窗户听见的对面人家传出的钢琴声。

"我说，让人听见啦。"

大辅提醒道。

"我就是说给他们听的。"

良多心想，这强势又好斗的个性还跟以前一样。钢琴是唯一和父亲有关的记忆。良多每次练钢琴，喝醉的父亲就喜欢和他父子连弹。父亲的技巧绝称不上高超，但乐感极好，能用钢琴再现那些仅听过一次的旋律。

良辅一边揉着右脚，一边开口问道：

"那么，见面了吗？"

一开始就打算说这件事吗？良多暗自思量着。因担心他一多嘴事情反倒麻烦，所以并没有通知他。大概是哥哥告诉他的吧。但良多还是明知故问地"嗯"了一声。

"你自己的儿子呀，亲生的。"

"见了。"

良多冷淡地回答道。他讨厌跟父亲聊这个话题。

"跟你像吗？"

良多沉默着喝了口威士忌。

"像吧，父子啊，就是如此，即便分开生活，还是会像。"

良多恨不得堵上耳朵。尽管这话他绝不会在绿面前说起，他的想法却跟父亲如出一辙。

"饶了我吧，是吧……"

大辅又开起玩笑来。但良多没搭理他。

"这就是血缘啊。"

父亲继续对良多说，

"你听好了，这就是血缘。人和马都一样，血缘很重要。今后，这孩子会越来越像你。相反，庆多会越来越像他的父母。"

良多又喝了一口威士忌，酒已经所剩无几了。

"早点把孩子换回来，再也不要跟对方一家人见面了。"

良多想起了铃本说的话，那句"你从前就有恋父情结"。如今，他却无力否定这句话。

"没那么简单的。"

良多说着，没有看父亲的脸。

他听到父亲哼着鼻子嘲笑的声音。

良多几乎没动一筷子寿司。寿司被一边频频紧张自己的尿酸值，一边大口大口往嘴里塞的大辅吃了个干净。父亲只夹了一点，光顾着喝威士忌了。

良多刚开口说差不多该回去了，腿应当还痛着的父亲便当先朝玄关走去。从以前开始就是个性急的人。一家人去百货商店买东西，也是三下两下把自己要的东西买好了，他也不等妻子和孩子们买完，就自己回家去了。那是自己的生母还在的时候的记忆，大约是良多上小学前后的时候。母亲曾经发自内心地当着孩子们的面咒骂过这样的父亲是"讨厌的男人"。那个时候起，夫妻俩的感情已经变得很扭曲了。

即便是这样一个父亲，大辅还是担心着马上跟在后面。这点也跟从前一样。

"那里危险，很滑的。"

大辅担心从玄关处拖着腿往外走的父亲会踩进水坑。

"看见啦。真啰唆呀，你是我老婆吗？"

良辅一喝醉，嘴就变得没个把门的样子，一边发脾气还一边开玩笑。

"我这不是为你好才说的嘛。你光会说些招人恨的话，会讨人嫌的哦。"

听到大辅这般说，在玄关处穿鞋的良多自言自语道：

"已经被人讨厌了。"

猛地，良多一回头，便瞧见了信子的脸，果真是笑眯眯的。

良多慌忙地移开视线，他总觉得信子的脸上总是挂着略带哀伤的笑容。

——但是，那天，那个时候，她的脸却夹杂着震惊、哀伤和失望……

"你的父亲虽然嘴上那么说……"

信子一边在公寓前走着，一边跟良多开腔道。这实在稀罕。虽然向来就稀罕，但是自从庆多出生时发生那件事之后，信子主动向良多搭话的次数就越来越少。

"就算没有血缘关系，也没关系的。一起生活，就会处出感情来，也会越来越相似。夫妻不也是这回事吗？父子的话不是更加如此吗？"

良多没有回答，只是凝视着走在前头的父亲的背影。

信子又接着说道：

"我呢……"

说到这里，信子有点欲言又止，但还是很快用明快的语调说了下去：

"我就是这般想着，抚养你们两个的啊。"

良多还是没有回答。

父亲告诉良多"血缘很重要"的时候，信子一定伤心了。毫无血缘关系，又处在难对付年纪的两个男孩子之间，即使这样，信子还是抚养他们长大。若是肯定了父亲的话，就等于否定了自己的存在意义吧。良多心想，这是信子拼尽全力的抵抗。

良多并未回答，就这样跟大辅并排走着。

"再来玩啊，阿大。"

信子只是跟大辅打了声招呼。她知道自己被良多厌弃。

"好的。"

大辅很讨喜地回答。

"还有，你回去说一声，我还会去看小爱美的拼布画的。"

爱美是大辅的妻子，应该和良多同年。良多想着，跟她也有好些年没打过照面了，长什么模样都已想不起来，只记得长相朴素。

绿和信子几乎连见都没见过。当然，庆多亦如此。这是良多刻意为之。

"送你们到这里吧，那就再见了。"

大辅告别后，跟良多并排而行。

良辅对着他俩的背影喊道：

"下次再来的话，别再带花，给我带酒来。"

大辅笑着挥挥手回应。

良多惊得没了语言，无奈摇头。

庆多的钢琴水平，不管怎么用偏爱的眼光来看，都算不上上乘。

庆多的发表会课题曲目是《玛丽有只小羊羔》，这首曲子他已经练习了两周，还是磕磕巴巴的。

良多回到家，从后方看着庆多弹钢琴的背影，笨拙的模样虽然也很可爱，但也实在让人焦虑。良多想着，恐怕今后这种"焦虑"会越来越强吧。

"不过挺好啊。爸爸没什么大事。"

绿一边收拾着良多的西服一边说。

"完全被骗了。亏我还强行从工作中抽空出来。"

良多摘下领带。

"说什么了吗？有关庆多的事。"

绿装作平静的样子问道，良多却知道绿在紧张地等着答案。

"没有，没说什么。"

良多一边说着，一边把领带放在餐桌上。

"庆多，跟爸爸说'欢迎回家'了吗？"

庆多回过头，甜甜一笑说："欢迎回家。"

"我回来了。"

良多也露出笑容。

良多发现桌子上有一张庆多画的画。画的是一个穿西装打领带的男人，这是庆多画的良多的画像。旁边放着折纸做的两朵玫瑰花。玫瑰花做得很精巧，透明胶也贴得很细心，一丝不苟。两朵玫瑰花也做得形状完全相似。

画到底还是画得有些笨拙，不过却很好地抓住了良多的特征，让人一眼便能瞧出来画的是良多。

"那个是父亲节的……好像是在学校做的。"

绿走进厨房，一边开始准备给良多做晚餐，一边解释道。

"庆多，谢谢啦。做得可真好啊。"

良多把两朵玫瑰花举起来给庆多看。

"有一朵是送给琉晴的爸爸的。"

庆多的话让良多有些受打击，胃的附近有点难受。

"因为他给我修好了机器人。"

庆多像是在说明原因，但恐怕并不是因为察觉到了良多所受的打击。他是真心感谢雄大的。

"是吗，庆多真是温柔啊。"

良多艰难地说出这番话，声音却像失了魂魄一般。

良多第二天一大清早就把庆多送往斋木家。下午有一个跟分包公司的会议要开，他必须在场。

车一停在斋木家跟前，庆多就马上下车与琉晴等人玩耍起来。由佳里给了他一根冰激凌，他更是开心。雄大被琉晴拉着也加入了游戏，几个人闹得更厉害了。连良多都不得不承认，雄大很擅长与孩子们玩耍。

眼前在道路上和雄大玩耍的孩子们，怎么看都像是与父亲嬉戏的四兄弟。雄大并没有待庆多格外不同，有时粗暴，有时紧紧拥抱。

良多站在商店内，透过玻璃看着这一幕，身后的由佳里出声道：

"就不能一直这样吗？就当什么都没发生过。"

这并非在强烈主张什么，而更类似一种淡淡的祈祷。

良多朝身后瞥了一眼。身后的绿和由佳里如亲姐妹般并排而立。

良多再次把目光转向窗外。

比着看不见的手枪朝着雄大射击的琉晴，那模样和自己保存的照片上年幼的自己重叠在一起。

而另一边，庆多被大和击中了，正装作毙命的样子，那双大大的眼眸像极了由佳里。第一次见到由佳里的时候他便如此想。恐怕绿也发觉了吧。但是两个人都绝口不提。

"今后，庆多会越来越像斋木一家。相反，琉晴会越来越像我们。"

良多无意识之间，重复着父亲的话。这是从一开始就盘旋在良多的心中，萦绕不去的念头。而父亲的话语却给了这个念头以血肉，让它更鲜活起来。

良多转身朝向由佳里。

"看着眼前这一幕，你还能像以前一样爱着这个毫无血缘关系的孩子吗？"

面对良多的质问，由佳里当即反驳道：

"能爱啊！当然能！像或不像这种事，只有没有感受到与孩子羁绊的男人才会去纠结。"

由佳里生气了。这既是对良多的愤怒，也饱含着对事情发展到无可挽回的地步的痛恨。

"越往后拖延，就越增加不必要的痛苦。我们是，孩子们也是。"

良多没有看由佳里，而是凝视着绿的眼睛。

绿也直视着良多的眼睛。绿的双眸仿佛在平静地诉说着什么。

第二天是周日，其他的打工人员因为孩子的事休假了，由由佳里代替上班。所以周日斋木家和野野宫家的会合便取消了。

要是上午十点半还不出门就要来不及了，而此时已经十点半了。美结少见地哭闹起来，她不喜欢由佳里出门。雄大在的话倒是可以交给他，但是他因为接到一个安装空调的工作，一大早就出门了。

由佳里一边往外推自行车，一边朝好不容易止了哭声的美结眨眨眼。

"我玩这个。"

美结手里拿着由佳里做的风车。

"好孩子。"

由佳里对握着大和的手的庆多说道：

"庆多，这两个小家伙就拜托你啦。"

庆多用力地"嗯"了一声，又牵住了美结的手。

"好的，那我走啦。"

"慢走。"

三个孩子并排站着挥起手来。由佳里一边蹬着自行车，一边用力挥了挥手。

由佳里除了周六、周日，每天都在附近的一个便当店里兼职打工。这是家私人商店，本来是家卖肉的店铺，因为做出来的便当十分美味就渐渐变成了便当店。便当的味道相当不错，因此生意十分火爆。

这天也是自十一点开店以来，客人就一直没断过。

由佳里负责的是接待客人和收银。

过了十二点半，客人才逐渐少起来。即便如此，因为是周日，直到两点客人都很多。

由佳里歇了口气，正在跟另一名兼职的同伴聊天，突然发现有几个小小的身影正从橱窗外往里观望。

是庆多他们。庆多两手分别牵着美结和大和。他的表情看起来有些为难。美结虽然已经止住不哭了，但还是能看出刚刚哭过的痕迹。

由佳里不由露出笑容来，虽然之前跟他们说好到店里来取便当，但时间还早。看来是搞不定哭着要见妈妈的美结，庆多才带着两人提前来求助。

"不好意思，我出去一下。"

跟打工的同伴道了声歉，由佳里走了出来。

"美结哭啦？"

庆多一脸无可奈何地点了点头。

美结一把抱住由佳里。

"美结，妈妈为你做了特别的便当，能帮我带回去吗？还有爸爸的那份。等你吃完便当的时候，妈妈就回来了。"

美结被"特别的便当"吸引住了。

"嗯。"

由佳里回到店里，把让店里做好的便当分成三份装在袋子里，又回到孩子们面前。她把放了三个便当的最大的袋子递给庆多，放了两个便当的给美结，放了四个小菜的小袋子给了大和。

"拿得动吗？"

庆多红着脸用力提着袋子。

"没问题。"

"拜托啦。庆多的那份我多加了一块炸鸡块，好好数数哦。"

庆多的脸上顿时焕发出神采来。

"路上小心啊。"

"好的，拜拜。"

孩子们肩并肩地回去了。

庆多中途回了头。由佳里冲他眨了眨眼，庆多也眨了眨眼。只是庆多两只眼睛都闭上了。两只眼睛都闭上的眨眼毫无风情，不过爱意满满。

由佳里心头一热。这是庆多第一次冲她眨眼睛。

庆多等人一回到家中，雄大已经在家等候了。雄大提出要带着便当出去野餐。把便当递给宗笃后，雄大便带着孩子们朝后院走去。

那天是梅雨期间的一个久违的大好晴天，太阳还不算晒。

铺开野餐布，他们就在后院野餐。在户外吃饭，食欲也比平常要好。庆多吃了五个炸鸡块，还把大和吃剩的一个炸鸡块给消灭掉了。

吃完饭，雄大便在垫子上躺下。大和和美结躺下后，庆多也舒展着躺在了垫子上。

"到了夏天呀，咱们在这里放烟花，泡在水池子里，玩劈西瓜。"

听了雄大的话，孩子们的脸上都放出光彩了。

"以前也玩过劈西瓜呢。"

美结说。

"庆多也一起玩呀。"

雄大招呼着，庆多轻轻地笑了。

"嗯。"

就在昨天，他们已经决定好交换留宿到暑假就结束了。最终，庆多和琉晴在进入暑假后就要彻底交换到对方家里。沟通的时间很短，是良多提议：学期更替的时候不是正好吗？

终于走到这一步，良多心想。只是他没想到，是父亲良辅的那番话推了他一把。

　　自从进入七月后，良多又被工作弄得手忙脚乱。受挫的项目虽然重建了，结果他又发现结构上存在重大失误，为了处理失误又是一番焦头烂额。自然而然，周六和周日他都是从早忙到晚。

　　理所当然，良多也就完全没工夫插手交换留宿的事。一回到家，他发现睡在床上的不是庆多，而是琉晴，有时候还被吓一跳。

　　交换留宿的最后一个周六，良多也不得不去上班。出门前他跟绿说晚上会早些回来，结果回到家时已经过了晚上八点了。不过，工作总算有点要稳定下来的苗头了。

　　良多打开锁，静静地推开门。他的内心隐隐期待着，尽管时间还早，但最好两人都已经睡了。随着"交换"的日子日渐逼近，绿越发冷淡了。

　　客厅的灯已经关了，刚想着他们是不是都睡了，良多却听到了说话的声音。

　　黑漆漆的房间里，绿正独自开心地说着话。

　　那一瞬间，良多怀疑绿的精神是不是不正常了。

　　然而，她只不过是用手机在跟谁聊天罢了。

　　良多打开了起居室的灯。

　　"我回来了。"

　　绿穿着家居服，坐在沙发前的地毯上，手里拿着一根编织棒，大概是一边织毛线一边打电话吧。

　　"啊，他回来了。帮了大忙了。嗯，谢谢啦。"

　　绿挂了电话，跟良多说了句"欢迎回家"，但并没想要站起身。

　　"琉晴呢？"

　　"在洗澡。"

　　看了看挂钟，绿自言自语着："啊，已经这个时间了。"但她依旧坐在地毯上没有动身。

　　良多在心中暗道，把孩子丢进浴缸就自顾自打电话，万一发生事故可怎么办。不过他也明白，一旦指责，定会惹得绿发怒。

“对不住了。什么都交给你，明天已经想办法把时间空出来了。”

良多本想讨好一下绿，却被打断了。

“没什么，反正一直都是这样，没关系的。”

语气轻松，却是绿迄今为止从不会说出口的挖苦。

“在跟谁说话？”

良多一问，绿回答是“由佳里”，然后笑了起来。

“她说，雄大先生说过了五十岁想去开个冲浪用具店，但其实他根本就不会冲浪。”

绿说着开心地哈哈大笑起来。

“稍微保持点距离比较好吧？”

良多的话让绿脸上的笑容消失了。她冰冷的双眼紧盯着良多。

“女人之间有各种信息必须交流。不过你是不会明白的。”

拿“女人之间”做盾牌来堵良多的嘴，绿在含沙射影。她之前从来没这么干过。

不仅如此，绿还一边死死盯着良多的眼睛，一边拿着编织棒戳向地毯，不只戳一下，而是，一下又一下，一下又一下，反反复复。

“你……”

良多掩饰不住内心的慌乱，他接着说：

“今天，铃本打来电话，听说那个护士被人寄了好几封骚扰信，不会是你吧？”

绿沉默着，把编织棒戳向地毯。

"喂。"

"受这点罪也是她应得的吧。"

"就算做这些事……"

绿把编织棒扔在沙发上，站起身来。

"好吧，该准备晚餐了。"

她用出奇轻快的声音说着，朝厨房走去。

有什么东西开始疯狂了，良多只觉得浑身战栗。

第二天午后，良多开车朝群马驶去。中途，他下了首都高速公路，绕了个道。

良多想要消除昨晚感受到的战栗。他一夜无眠，想到的就是这栋建筑。

这是前年良多经手的一个项目，面朝海滨，汇集了电影院、音乐厅和天文馆，是一座复合型娱乐设施。作为娱乐设施的娱乐核心，在那座十五层的巨型大楼上有一个瞭望室。这瞭望室成了一个象征意义的存在，看起来像是狮子的头。

"这是叔叔建的大楼。"

下了车，良多朝琉晴炫耀道。良多想到要给琉晴看这座大楼的时候，脑子里闪现的是雄大修好的那个机器人玩具。

良多心想，若是琉晴能开心起来，绿或许能变得更积极一些吧。他觉得这是个好主意。

"哦——"

琉晴看着大楼并没表现出多大的兴趣。

良多看了看车里。绿根本没想下车，瞧都没想瞧大楼一眼。

"那个瞭望室看起来像不像狮子的脸？"

良多没再管绿，向琉晴问道。

"没有，不像。"

"那，你觉得那个建筑物要多少钱才能建起来？"

"不知道。"

"四千亿日元。"

"我不懂啦。"

琉晴完全不上道。

"那个，可是叔叔建的呢。"

良多又重复了同一句话。

"一个人？"

"不是，很多人。"

"哦——"

琉晴一脸无聊，似乎完全不感兴趣。

"算了，走吧。"

良多开始变得不耐烦起来。回到车里，一看后视镜，就撞上了绿那冰冷的眼神，他慌忙移开视线。

最后一个交换留宿在没有眼泪的淡然中结束了。大人们都在控制着自己的感情，不想在孩子们面前展露丑态。

随后，庆多开始了作为野野宫家孩子最后一周的生活。

周一是个节假日。良多的工作也告一段落，可以从清早开始休息一整天。这天是庆多的钢琴发表会。这应该是他最后一次发表会了吧。斋木家虽然也说会让庆多学弹钢琴，不过良多觉得不可能实现。

会场设在能容纳一百余人的小型公营音乐厅，占据宾客席位的全是些西装革履的夫妇。绿跟好几个熟人打了招呼，良多却并没见一个认识的面孔。

庆多是当天第二个表演的孩子。

然而庆多的演奏实在惨不忍睹，开头就卡住了，之后就一直是磕磕巴巴的。他有好几次弹错，指尖动作停顿，开始就备受挫折。但他并没就此停下，而是一次一次地重新演奏，可惜每次重弹还是弹错，就算是练习的时候也没这么糟糕过。

和父母一起听着演奏的几个孩子开始轻声地笑出来，为此挨了父母的训斥。

好不容易弹完最后一小节，会场被掌声充斥。这掌声就好像在表达好不容易从艰苦的修行中解脱出来的感激。

庆多结束演奏后回到了座位。良多本想笑脸相迎，但连他自己也知道自己脸上有多僵硬，甚至都没法勉强自己和庆多搭话。

"你很棒哦。"

一旁，绿紧紧地抱着庆多。

庆多偷偷观察着良多的神色。良多想挤出笑容来，却只是生硬地动了动脸上的肌肉。

三人坐在座位上听其他孩子的演奏。

良多被五岁的吉田亚香里演奏的《妖精之舞》震惊了。尽管是非常复杂的曲子，可这个身着红色裙子的亚香里却摆动着身子，全身合着旋律演奏着钢琴，有着动人心魄的感染力，叫人无法想象这是一个五岁的孩子在演奏。

演奏一结束，场内掌声雷动，赞叹之声不绝于耳。

"弹得真好啊。"

庆多佩服不已，一边拍手一边跟绿说。

"还真是呢。"

绿也一边拍着手一边回应。

"庆多，你就不觉得不甘心吗？"

良多的表情是僵硬的，明显的满脸不快。

"你若不想弹得更好，那继续弹下去也没什么意义。"

被良多一训斥，庆多不再拍手，神情悲伤，紧绷着身子一动不动。

见此情形，绿的愤怒到达了顶点。

最近这段时间，因为频繁地交换留宿，庆多练习钢琴的时间极度缩减。不仅如此，他还被老师批评说练习的时候无法集中精力。

理由是显而易见的。什么都不知道地被送到不认识的人家留宿，庆多又背负了多大的心理压力呢？而某人对此竟毫无察觉，光看了一场发表会就自以为是的只会对孩子横加指责！

绿很想把心里所有的想法都一吐为快，但最终还是选择了委婉的措辞。

"不是所有人都能像你那样努力的。"

绿用低沉而锐利的声音说着，眼里含着悲痛。

"你这说得好像努力是错的似的。"

良多的声音也变得挑衅起来。

"我的意思是总有些人就算再想努力，也努力不了。"

绿一字一顿地挤出一句。这不单单是指庆多这件事，也是绿一直深深压抑的对良多的愤懑。

良多确实对自己十分严格。他也要求其他人如此。要求别人跟他一样，就像一切都是理所当然的。不管其中有什么缘由，都不允许有任何松懈。否则前方等待的将不仅仅是训斥、责备，还有轻蔑。

对这些都视而不见地活下去才是幸福吧。然而，如今这种想法也不过是遥不可及的奢望。

绿用饱含怒火的双眼紧盯着良多。

良多却无法移开视线。他被那目光压倒了。

"庆多——"

绿抚摸着庆多的脑袋，充满了温柔和怜爱。

"庆多一定是像我了。"

如此猛烈的嘲讽，同时，也是绿的心声。抚养庆多的是自己，不是良多。

自那日之后的一周，良多持续加班，回到家已是深夜。良多用工作来逃避。他害怕面对绿的脸，而面对庆多又令他痛苦。但他自己是绝对不能承认的。他只是告诉他们：我很忙。他甚至不惜把下属的工作抢过来做，只为了消磨时间。

然而，不得不面对绿的时刻终究还是来了。

良多六点出了公司，太阳还有些晒，天气还有些热。

刚要去停车场，他被波留奈叫住了。她说工作也安定下来了，不如大家一起去喝一杯。

不如就去了吧。他动心了，只想忘掉一切，烂醉一场。他不想回家。

但还是拒绝了，他说家里还有事。

波留奈苦笑着说道：

"亏我还想请你喝一杯。"

良多也苦笑着拒绝了，便向停车场走去。

"睡了？"

坐在客厅的沙发上，良多关掉平板电脑的电源。为了不跟绿面对面，他吃完饭就在用电脑工作。准确地说，只有一成是为了工作，剩下九成都是在网上闲逛。

绿在卧室里陪庆多睡下后，就走回了客厅。他便假装如平常一般，问了一句。

然而一看到绿的脸，他就后悔自己问出这句话。

绿的脸色苍白，双眼中泪光闪动。那双眼睛死死盯着良多。

"我都是按照你说的做的，结果，还是要放弃庆多。"

良多沉默着听着绿的话，自己也是有苦衷的。

"你说过的吧。你说'交给我吧'，可是……骗子！"

面对越说越过分的绿，良多的脸色变得难看起来。

"那个是预料之外，我也……"

尽管已经是拼尽全力在虚张声势，然而良多还是得承认自己失败了。

如此丑恶的计划本就不可能会成功。绿已经没心思在这上面责怪他。问题在于这个计划的本质。

"你从一开始就决定好了。比起跟庆多共度的这六年时光，你选择了'血缘'。"

绿的声讨让良多动摇了。她什么都知道。

"没这回事……"

良多大喊一声，想要占据上风。然而，绿打断了他的话。

"你还记得刚知道庆多不是自己的亲生儿子的时候，你说了什么吗？"

良多摆了摆手，制止绿说下去。

"我记得！"良多仿佛要吐出心中所有不快般地说道，"我问你，为什么没有察觉，我想把一切过错都推到你身上。但是，被调换的是七月三十一日，我也没有发现庆多被换了。那时候是我不对……"

良多站起来，一边道歉，一边靠近绿。

绿却从他的手边逃开，走到窗户旁。

"不对！不是这句话！"

绿没有看窗户玻璃对面的美好夜景，而是紧盯着映在玻璃上良多那因痛苦而扭曲的脸。

"你是这么说的，'果然如此啊'。你说'果然'，'果然'是什么意思？"

是从那个律师那里回来的路上吗？那个时候就算是坚强的良多也受到了很大的冲击。因此那时的记忆仿佛蒙上了一层雾霭，模糊不清。他记得当时自己用很激烈的话语骂了人。但是，自己真的说过"果然如此啊"这种话吗？自己竟会说这样的话……

"你从一开始就不能接受，庆多不如你那般优秀，也没你那般强势，对不对？"

一语中的。不去上补习班就没法被录取的庆多、钢琴完全没长进的庆多、逃避跟其他人竞争的庆多……

良多整个人仿佛被冻住了一般，一动也不能动。

"只有那句话，我一辈子都不会忘记！"

绿转过身，她的脸因为滚滚的泪水而扭曲变形，双目熊熊燃烧着良多从未见过的憎恨。

恐怕，这疯狂的齿轮再也无法回到正轨了。

一直呆站着的良多听到了这个家破碎的声音。

一片黑暗中有一个人在静静地听着两个人的对话。他睁着那双大大的眼睛，一动也不敢动地躺在床上。

第二天早上的餐桌变得比往日要热闹。当然，良多和绿之间并没有直接的对话，而是他们各自与庆多说话，以庆多为媒介来交谈。

对话中，良多问庆多，有没有想去玩的地方？庆多没有回答。在良多执拗地追问了好多遍后，他才小声说，哪里都不想去。

良多几乎半强迫地把庆多带去了公园。

上一次良多带庆多来这里玩已经是两年前的事了。他想起来了，那时正是周日的中午之前，公园十分拥挤。游乐设施都被"强壮孩子"所霸占，庆多甚至没有胆量靠近那里。良多怂恿道"爸爸替你去说"，但庆多还是说"我想回家"。

大约是因为时间还早，今天的公园冷冷清清的。当然最主要是因为日晒太强。电视台都争相报道，今天一大早气温就超过了三十摄氏度，预感今年又将会是一个酷暑。

抵达公园时良多已经是汗流浃背。平时几乎没时间运动，也许是难得出汗的原因，他竟已经感到了一丝疲惫。

良多找到一个模拟地球仪形状的球形攀爬架坐了上去——庆多管它叫"旋转丛林"。

"我来推你。"

庆多说着便开始用力，使出吃奶的力气一推，攀爬架开始缓缓转动起来。

"真厉害啊。"

"1，2，3……"

庆多的脸涨得通红，一边数着数，开始加速转圈。

"好厉害呀。"

庆多飞快地看了一眼良多的脸，那脸上有着自豪又喜悦的神情。

庆多把攀爬架转到一定程度，说了句"预——备"，便也跳了上来。

看到他灵巧的动作，良多不由赞叹道：

"哦，厉害，厉害。"

庆多这回反而有些不好意思了，但还是露出笑脸来。

"旋转丛林"一旋转起来，便有轻风拂面而来，叫人神清气爽。

良多拿起照相机。

"好，我要拍了哦，预——备。"

庆多大大方方地面朝镜头笑起来，还比了个"V"的手势。

"也给我用一下。"

这是全幅的大照相机，颇有些重量。小型照相机大概也是够用的，但比起便捷，良多更看中的是它的高性能。

良多把照相机递给庆多。照相机对庆多来说还是太重，还不能好好端起来。以前也让他接触过几回，所以他知道快门的位置。庆多笨拙地拿着照相机，把手指放在快门的位置后，把镜头对准良多的脸，按下了快门。他按的时候晃动了，照片可能会有些虚。

良多想起买这个照相机时的情形。那是距离庆多预产期一周前的时候，工作正是忙碌的高峰期，就算自己想动身去购买也根本抽不出时间来。那时他还处于副手的位置，杂活也都交在自己的身上，实在是一分一秒都不舍得浪费。即便如此，良多还是利用午休的时间，跑到公司旁边的大型电器店去买了回来。

也就是说，这个照相机是为庆多而买的。

"这个照相机，就送给庆多了。"

庆多似乎被良多的这个提议给吓了一跳。他看看照相机，又看看良多。然后，他摇了摇头。

"为什么，不想要吗？"

"嗯，不想要。"

这是良多第一次见到庆多如此清晰干脆地给出答案。

"是吗？"

良多有些诧异地笑了笑，接过庆多递过来的照相机。

这天晚上吃的是炸鸡块。这是和庆多共度的最后一个夜晚，绿使出浑身解数做出来的炸鸡块，用的是带骨的鸡肉，还在骨头的部分加了些装饰。

炸鸡块装在一个大盘子里，堆成了一座小山。看一眼就知道，这分量即便三个人吃，也是无论如何都吃不完的。

庆多高兴极了。他难得地万分欢喜，将炸鸡块一个接一个地塞进嘴里，腮帮都鼓了起来。

看着这张脸，绿在心中默念，不要忘记这个味道。她祈祷着，但愿在庆多心中，无论是由佳里做的、还是高档餐厅做的，味道都比不过妈妈做的炸鸡块，一辈子都不要忘记！

然而，这些话她却绝不能说出口。除了把这份心意灌注在炸鸡块里，她无能为力。

炸鸡块还剩下三分之一，庆多、良多和绿都已饱了。

绿马上想到要把剩下的放进为明天河滩游玩准备的便当里，但又担心这么热的天装剩下的炸鸡块会导致食物中毒。于是，她改变主意明天一早再重新炸一些做便当。她恨不得马上就出去采购，因为附近那家味道很好的肉店马上就要关门了。可她刚准备起身，突又发觉连续两天都吃炸鸡块会不会吃腻。而且，或许明天由佳里也会带炸鸡块过来……

明天起，庆多就要变成斋木家的孩子了。

绿的脸顿时失去了血色。她的脸色苍白，目不转睛地凝视着庆多。

"听好了，庆多。"

餐桌上，良多对庆多说。

庆多看向良多，嘴角还带着炸鸡块的油渍。

"去了那边的家，要管叔叔、阿姨叫爸爸、妈妈。就算是寂寞了也不能哭，不能打电话回来。说好了哦。"

良多的声音很严厉。

"任务？"

庆多小心翼翼地问道。

"嗯，任务。"

良多有些吃惊庆多还记得这个词。第一次说这话题的时候，他觉得庆多只是稀里糊涂地随口应付，没想到他清楚地记在心里。

"到什么时候？"

庆多歪着脑袋问道，这个动作十分惹人怜爱。可是良多曾经一脸厌弃地对绿说过"跟女孩子似的"。而如今这动作却让他心痛。

"还没定。"

他本想说永远，却中途改口了，昨晚思考的事情不断地在脑海中涌现。

"庆多大概在想为什么要进行这样的任务，但是，我想十年以后你一定会明白的。"

庆多并不知道十年究竟有多长。他连时钟都还不太会看。

他只是隐约感觉到，这是非常、非常长的一段时间。

"在琉晴家也要练钢琴吗？"

庆多问道。要变得"优秀"，练钢琴很重要。

"随便。"

庆多吃惊地看着良多的脸，两眼扑闪扑闪的。明明是为了变得"优秀又坚强"才进行的任务，练钢琴却可以"随便"？

"庆多如果想继续的话，妈妈会去拜托他们的。"

绿对接受了任务的庆多说道。绿用毛巾擦拭着庆多被油弄脏了的手心和嘴角，仔细地、慢慢地擦拭着。

绿看着良多的侧脸想着，该说的话都说了，也做好了心理准备。他应该会严格遵守时间吧。工作上守时是很重要的，即便是解除亲子关系的时间也不例外。

但绿已经不会再多说一句。

跟由佳里谈话的时间已经约定好了，让孩子们走的时候带上迄今为止拍的照片。当然，父母想要留在身边的照片可以事先保留，但是不要把照片摆在孩子可以看到的地方。

在幼儿园做的东西或画的画之类的也尽量让孩子带着。

家里摆放了有很多本装着庆多婴儿时期照片的相册。绿需要从中挑出那些无论如何都想让他带着、记着的充满回忆的照片。然而无论哪一张都不想让他落下。最终绿选择了放弃，只从相册中选出几十张，然后把整本相册都放进了行李箱里。

她从墙上和钢琴上的相框里取出照片，左思右想之后，把这些也都放进了行李箱。绿拿起一个上幼儿园时年幼的庆多做的纸黏土小手印壁挂装饰。多么小的手啊，绿轻轻地把自己的手叠在小手印上。

她把这个也收进行李箱。

仿佛是一刀又一刀地划在自己的身上，绿的胃翻滚着作痛。庆多特别喜爱的睡衣、毛巾、牙刷、杯子……

绿犹如斩断自己的思绪般合上了行李箱。

绿一边拭去涌出的泪水，一边跑进了卧室。卧室里庆多甜甜地睡着，仿佛什么都不知道般，陷入安详的沉睡之中。

绿再一次拭去眼泪，静悄悄地在床上躺下，凝视着庆多熟睡的脸蛋。她轻轻地伸出手去触碰他的脸，触碰他的头发。

良多待在书房里。庆多少见的过了十点还没睡，不过一到十点半便倒头睡了。

之后良多就一直把自己关在书房里，面朝书桌，静静地坐着。

他只是在思考，为什么庆多会那么干脆地说"不想要"照相机？

但是，他思考了几个小时，依旧没有答案。

乌川的河滩上几乎看不见人影。在相隔很远的地方，有一群玩水的高中生，不过由于离得远，倒也不足为虑。

选择此地的是斋木家。雄大的小型货车上装满了烤肉全套用具和食材、游戏玩具等。

今天依然是良多一家先到，在那里等着雄大他们的到来。雄大看起来十分熟练地在烤炉里堆上炭，只用了火柴和报纸，就一下生好了火。

不过，要等到炭烧起来，还需再花上几十分钟。这期间，雄大便开始跟孩子们玩起了带过来的玩具。

绿和由佳里在烤炉前一边看火，一边静默地望着孩子们游戏的身影。

由佳里一脸笑意。不管什么时候孩子们嬉闹着玩成一团的样子都给予她快乐，让人忘却现实。

绿也面带微笑。但是这是因为在由佳里的面前，她才做出这般表情。在某个时刻，她脸上的神情会突然消失不见。然后，她凝视着庆多的双眼中流露出哀伤的神色。

撑开遮阳伞，桌子也摆好了。折叠椅子虽然不够人数，也有七把之多。反正孩子们都光顾着玩根本不会过来坐的。

良多无法淡然地待在绿的身边，他找了稍远处的一块大岩石当椅子坐下，远远地看着孩子们做游戏。

雄大从车里取出风筝，想要放上天。孩子们都守在雄大的身边看着。但是，很快雄大就放弃了，孩子们开始追着一个撒气的足球玩起来。

雄大看了看烤炉的火候，便笑眯眯地朝良多的方向走来。

"这里不能放风筝，说是为了保护香鱼。从这里不太能看得见，不过河面上拉着尼龙线，好像是为了防止鸟儿靠近，这么一来风筝就会缠在上面。"

良多一边点头，一边想起庆多在成华学院的面试。庆多对面试官撒了谎，说夏天的回忆是"跟爸爸一起露营和放风筝"。

而雄大却要把它付诸现实。庆多连这种事都告诉了雄大吗，还是仅仅是个巧合？

"这些年风筝都做得太好，太容易放起来了，一点都不好玩。我们那个年代啊……"

说到这里，雄大看了看良多的脸，笑了。

"啊，当然，我比你大一些。我父亲用竹签和窗户纸给我们糊一个出来，再把报纸剪了做成尾巴。那个怎么都放不上去……"

听到这些，良多摇了摇头。

"我的父亲不是那种会和孩子们一起放风筝的人。"

雄大听了良多的话，露出惊讶的神色。

"是吗？不过，你也没必要向你的父亲看齐，对不对？"

雄大的话里并没有责备的语气，他只是单纯将心中所想之事付诸口舌罢了。

他说得没错。不知不觉间，良多在模仿着那个令他厌恶的父亲。

"拜托你要陪琉晴放风筝哦。"

雄大低下了头。

"好。"

雄大沿着河滩跑了过去，想要加入孩子们的足球游戏。

孩子们飞快地消耗着烧烤和带过来的便当，大人们却完全没动筷子。由佳里和绿互相都有所顾忌，不知道该由谁去照料谁家的孩子，最终，年龄小的孩子由由佳里照顾，琉晴和庆多由绿照顾着吃完了这顿饭。雄大则完全负责烤肉。听说以前曾开过一段时间冲绳料理店，他用"冲绳风味的酱汁"事先给肉调好了味。尽管搞不清楚究竟是不是冲绳风味，不过毋庸置疑，着实美味。

收拾好烤炉，处理好所有垃圾，时间已经到了下午两点。那天早上还只有些薄云，到了下午云层却越发厚了。接着，突然就凉风大作，气温骤降，穿着短袖都有点冷了。

绿抬头看了看越发黑压压、低沉沉的云层，忍不住心情也压抑起来。分别的时刻越来越近了。

孩子们还在河滩边玩耍着，这个气温对嬉闹追逐的他们来说反而是刚刚好。

由佳里和绿并排站着，一起体会着逐渐逼近的分别时刻。

"别看他那样，其实很胆小。"

由佳里和绿看见琉晴在戏弄庆多。看起来两人因为什么起了冲突。由佳里刚想训斥琉晴，却住了嘴。大概是和好了吧，那两人又突然开始勾起手指来。

一边看着，由佳里继续说道：

"晚上，他不喜欢一个人去厕所，总是我跟着一起去。不过，大和出生后，他突然就有点哥哥样了。训练大和上厕所的时候，他说自己带弟弟去厕所，干劲十足。"

由佳里的声音有点哽咽了。绿想着坚强的由佳里怕是要哭出来了。

"庆多也一直说想要个弟弟，不过……我……已经不能生了。"

听到绿的话，由佳里吃惊地看着绿。

那是在六年前，就在生完庆多出院的那天，负责的妇产科医生说："夫人再怀孕的可能性非常低，就算怀孕，也很可能会流产。即便是胎儿发育了，胎儿和母体在生产时的风险都很高。请尽量避免怀孕吧。"医生告知此事时，陪在绿身边的人是良多。良多看起来比绿更受打击。不过，良多从未因此事而责备过绿，哪怕一次。

自那以后，绿就一直对良多充满负罪感。

"所以，虽说是以这种方式，庆多有了妹妹和弟弟，我想他一定会高兴的。"

绿的眼中盈满了泪水，由佳里的眼睛里也有泪光。

由佳里把手放在绿的背上安慰她。由佳里的手掌，和里子轻拍在哭泣的绿的后背上的手掌一样，温暖极了。

绿不由得哭出声来。

由佳里轻轻地抱着绿，也压抑着声音流下眼泪。

五点过后，良多便叫上庆多，两个人单独站到河边。他在庆多的身旁蹲下来。

"庆多，去了那边的家也什么都不用担心。琉晴家的叔叔、阿姨都说很喜欢庆多……"

庆多急切地打断了良多的话。

"比爸爸还喜欢？"

这句话让良多猝不及防。他从没想过庆多会抛出这样的问题。这就是庆多忧心的事吗？良多不知道。但是，他只知道一点，此时他必须给出肯定答案。

良多紧盯着庆多的脸，点了点头。

"对，比爸爸还喜欢。"

庆多那双大大的神似由佳里的双眸凝视着良多，一句话也没说。

"大家一起来拍张照片吧……"

雄大在稍远的地方小心翼翼地招呼道。

"嗯。"

"快过来。"

雄大朝庆多伸出手，这是自然而然的举动。庆多也自然而然地握住了雄大的手。两人手牵着手走过去，这背影正如父子。

在那个瞬间，良多抑制不住地胸口一痛。他做了无可挽回的事。他压抑着这份情绪。他早已习惯了压抑自己的感情。

雄大的照相机是一台小小的卡片数码相机，只有良多的照相机十分之一大。两人把照相机各自放在野餐桌上的保温箱上面。

设置好自拍功能后，雄大压低声音对良多说：

"要笑啊。"

良多一下子没明白这句话的意思。于是雄大又说了一遍：

"大家一起笑起来。"

这张照片将会成为大家在今后的人生中无数次追忆的照片。

"好的。"

良多挤出笑容回答道。

"喂——要拍啦。"

雄大按下快门，朝大家站立的地方跑去。良多也连忙紧随其后。

良多小心翼翼地靠近绿站着。绿的前面是庆多。

斋木家和野野宫家隔开些许距离，并排站着。

雄大抱着正胡闹的大和，在他的前面琉晴正在做着鬼脸。旁边的由佳里把手搭在美结的肩膀上。

所有人好不容易摆出笑脸的瞬间，快门声响了。

琉晴第一天成为野野宫家的儿子的晚上，良多为这一天的到来，做了一份"野野宫家的规则"清单，一条一条罗列在一张A4纸上。

"不许咬吸管。"

对桌而坐的良多让琉晴把"规则"清单念出来。

"每天练习英语。上厕所要坐着。泡澡要一个人安静地泡。游戏每天只玩三十分钟。要叫爸爸和妈妈……"

琉晴认识很多汉字，念东西也念得比庆多要好。但是念完最后一个字，琉晴便抬起头问良多：

"为什么？叔叔不是爸爸，不是爸爸。"

"以后，叔叔就是爸爸了。"

雄大和由佳里都没有好好跟孩子说过这件事吗？良多有些恼火。他可是跟庆多强调了很多遍。

琉晴似乎是第一次听到这些话，用十分复杂的神情看着良多，最后看了看厨房里的绿。绿除了露出模棱两可的笑容，别无他法。

"为什么？"

琉晴问良多。

良多本来想搬出讲给庆多的那套"任务"说辞，但转念一想，今后必须好好管教琉晴。他决定采取强硬态度。

"没有为什么。"

"为什么？"

琉晴不肯善罢甘休。相同的问题又问了出来。

良多紧盯着琉晴的脸。琉晴十分淡然地回看着良多，看起来完全没有要讨好让步的意思。

良多略微思考，改变了进攻方向。

"那就……这样吧。爸爸和妈妈在那个家。就跟从前一样。"

"嗯。"

琉晴同意了。

良多一鼓作气再次进攻。

"那么，能不能称呼叔叔、阿姨为父亲和母亲？"

琉晴的表情再次僵硬起来。

"为什么？"

又回到原点了。但是重要的不是琉晴是否理解，而是要矫正他迄今为止在斋木家养成的"任性妄为"，必须贯彻野野宫家的家风。

"没有为什么。"

"没有为什么的'为什么'我不懂。"

良多盯着琉晴的眼睛。然而，琉晴的眼中没有丝毫胆怯。

"以后你就懂了。"

良多蛮横地说。

"为什么？"

琉晴的眼中浮现出挑衅的神色。这是庆多绝不会做出的反应。竟然会反抗到这种地步，良多也没想到琉晴的抵抗情绪居然这么强烈。

"没有为什么。"

不能退让。良多再次坚持着。

"没有为什么？为什么？"

究竟是在挑衅还是真的只是单纯地理解不了？良多难以做出判断。他飞快地把视线转向绿，但很快又移开了。

他心想要不要试试解释给他听，但又明显感觉到这并不是一两句话就能说明白的。连良多自己都不知道为何会这样。

"到底是为什么呢？"

良多终于说出了自己的心里话。

"为什么？"

琉晴进一步追问，绝不肯认输。

就算是良多也不知道该如何回答了。

之后，良多思考了好一会儿。"为什么？"是啊，这正是问题的核心。就算问上无数遍，却依然没有答案。

“刷牙吧。”

良多说着，把琉晴带过来的牙刷拿在手上，递给琉晴。

琉晴从良多的手里接过牙刷，一边哼着歌，一边朝洗脸台走去，宛如胜利的凯歌。

在琉晴和良多角力般的一问一答的时候，绿打开了由佳里交托的纸箱子，将里面的衣服等东西拿出来。之后，是贴在斋木家墙壁上的世界地图。据说这是琉晴特别中意的东西。地图下面放着相册。看来由佳里也是不知如何选择，只好一股脑都塞了进来。第二个纸箱子里装得满满当当的应该是琉晴小学和幼儿园时制作的各种手工制品，主要是些绘画，还有两个黏土手工品。它们是用黏土做好后再上色，也分不清楚究竟是四条腿的动物还是怪兽，两只的头上都长了角。

由于两个模样都十分独特，绿便把它们摆在了厨房柜台的旁边。

她不知看了多少张相片，最终从里面挑出了他笑得非常开心的一张。其中就有第一次跟斋木家见面时，雄大给她看的照片。就是那张在游泳池戏水的、照虚了的照片。第一次看这张照片的时候，自己并没有什么太多的反应。而现在看着这张琉晴精神十足的照片却让她不由得勾起嘴角，让她感受到了这几个月共处的时间的厚重。而作为代价，失去的是对庆多的那份……

　　绿斩断了思绪，多想也是无济于事。书包，对了，还是来想想书包的事吧。

　　庆多的书包今天已经交给斋木家了，但是斋木家忙着往车里塞烧烤全套工具，就忘了把琉晴的书包一起带上。这周之内应该会和笔记本之类的一起用宅急送寄过来。

　　但是教科书就要全部处理掉了。琉晴和庆多暑假过后都要进入公立小学，本想着顺利的话可以直接拣现成的拿来用，但是两个学校所用书本的出版社都不同。新的教科书要等到暑假后，在接下来的新学校的入学日才能拿到。

　　庆多去私立小学那会儿，绿还觉得上公立也挺好，如今她却忧心忡忡。原因是在补习班的时候，从妈妈们那里听来的公立小学的问题多不胜数，就算刨去那些夸张的成分，也尽是些叫人胆战心惊的事情。

　　一想到庆多的温柔善良，绿轻叹了一口气。然后，她突然注意到一件事。

　　良多有输给孩子过吗?

　　心情大好，刷牙刷了许久的琉晴就那样独自进了浴室。

　　良多也打算刷牙，站在洗脸台前时却被吓了一跳。洗脸台的镜子上画了一幅大大的画。是机器人吗? 仔细一看，是用刷牙粉画的。

他刚想打开浴室门训斥琉晴一顿，却听到浴室传来玩耍的声音。这么快就违反了规则。

不过，这也比直接把他说哭要强吧。良多便放弃了训斥的念头，打算刷牙。只是，看着镜中映出的自己的脸，又看看这恶作剧的涂鸦，良多想着：

这是自己一直希望儿子拥有的，而琉晴恰好持有的"强势"。

斋木家的晚餐吃的是由佳里打工的地方的便当。因为由佳里说"今天累了"，于是把车停靠在店门前，大家挑选自己想吃的东西。

庆多想吃的是烧卖便当。的确，这是这家便当店的招牌菜品之一，长期畅销。但迄今为止斋木家谁都没有点过这个。斋木家的人都喜欢吃饺子。

雄大发表了好一会儿慷慨激昂的演说："烧卖乃是旁门左道，乃是饺子的赝品。"

回到家，又因为这个话题很是热闹了一阵。虽然被父母训斥过，但庆多从来没有感受过来自父母的调侃，今日一见倒也让他乐在其中。

热热闹闹的晚餐结束后，雄大带着孩子们去泡澡，由佳里把大和和美结哄睡了。大概是今天玩了一天累了的缘故，七点的时候两个小家伙就已经坠入梦乡。庆多虽然也一起钻进了被窝，却睡不着。

洗完澡后喝的啤酒似乎上了头，雄大打着鼾睡着了。

由佳里把大和和美结哄睡后，就过来看看庆多。庆多连忙装作睡着的样子。

由佳里轻手轻脚地起身出了房间。不一会儿，庆多就听到浴室传来的流水声。

庆多的悲伤和心痛好像要撕开他的胸口。他根本无法入眠。

终于，庆多静悄悄地起身，朝雄大商店的方向走去。

那里应该有一台家里没有的大大的电话。

庆多想对绿说一声"晚安"，仅此而已。良多说过不能打电话，但是忘了道"晚安"是不对的。

然而，庆多却没能走到电话那里。商店的卷门已经放下来，灯也全灭了，黑漆漆的一片。

庆多没有在这一片黑暗中前进的勇气。

但庆多也不想就此放弃。他就这样一直在商店和正房之间站着。不久，庆多就地蹲了下来。

"不能哭。要是在这里哭了就真的不能变'强大'了。"庆多这般给自己打气。

"哎呀，怎么了？"

庆多抱着膝盖坐在地上，此时由佳里出现在他的身后。她换上了睡衣，正在用毛巾擦拭着湿漉漉的头发。

庆多看起来不想抬头。

"啊，是不是坏了呢？"

由佳里说着把庆多从后面抱起，让他站了起来。但庆多还是低垂着头。

"好嘞，那，阿姨来给你修一修吧。"

用的是跟雄大修理机器人时一样的手法，先打开庆多肚子上的盖子。

"啪嗒！好嘞，打开了。啾啾，是这里吗？是这里吗？是这里吗？啊，这里不大对劲！"

由佳里用指尖点着庆多的肚皮，轻轻挠他的侧腰。庆多扭着身子忍耐着，但终于还是抬起头来笑了。

"怎么样，修好了吗？"

庆多默默地看着由佳里，点了点头。

由佳里也点了点头。

由佳里轻轻地伸出手，缓缓地用手环住他的背，抱紧他，动作轻柔得就像抱着一块易碎的玻璃。

庆多也慢慢地把手绕到由佳里的背上。他闻到了由佳里身上沐浴露的味道，这是跟绿不一样的味道。

由佳里感觉到那小手上的温度，她更加用力地抱紧庆多。

看着眼前这个悲伤着的孩子，她想减轻这孩子的悲伤。对由佳里而言，不管这孩子是个什么样的孩子，来自何方，自己都应该来安慰他难过的心。

　　然而，和琉晴之间的羁绊、对琉晴的思念、对琉晴的爱，都是属于她独一无二的回忆。什么都不会改变，怎么可能会改变。由佳里在心中默念着。

10

上午最紧要的工作渐入佳境之时，良多被上山部长叫了过去，这倒是挺稀罕的。上山是个很随性的部长，时不时就会到自己管辖的部门去转转，打打招呼，但基本上就类似闲聊。不过这大大拉近了他跟部下之间的距离，建立了信任关系。

虽然工作被打断了，良多并没有表现出烦躁。跟上山谈话是件开心的事，还能学到很多东西。

一走进四面环着玻璃的部长室，上山就满脸笑容地抬抬手，招呼良多进去。良多心想，大概是说交换孩子的事吧。这事还没有汇报。因为上山提议的"两个都争取过来"的方案失败了，这叫他难以启齿。

然而，一进房间，良多马上就暗道糟糕。部长的桌子上放着一本周刊杂志。那本周刊杂志恰好报道了抱错孩子的事件。当然真实姓名并未写出来，不过在报道中良多被写成了在大型建筑公司工作的丈夫 A。在电车的悬挂广告上也有小字写着"今时今日！'抱错'婴儿之千奇百怪"。不过，报道是根据法庭的证言和取材来写的，内容并无不妥。

上山等良多在桌前坐下后，并没有提周刊杂志的事，却突然宣布了人事调动。而且，时间紧迫，史无前例，两周后马上动身。

"技术研究所？是宇都宫那个吗？"

良多还没搞清楚事态，这个人事调动也太过强横了。技术研究所跟良多所属的建筑设计总部是处于两个极端的部门。若把设计总部比作"花团锦簇"，技术研究所则是"枝下淤泥"，而且还是地底深处的泥。

良多心想，难道上山是有什么盘算，筹谋着通过技术研究所策划一个大项目？良多等着上山说出他的盘算来，给自己一个答案。

"嗯。"

上山的表情有些阴沉，只是点了点头。

诚然，正因为有技术研究所的技术，才有这"花团锦簇"。

但是，良多却并不适合那里。他的技术、知识和经验都是一门心思在建筑设计本部磨炼出来的。他自负自己一直都遥遥领先于他人。

"为什么是我？野原不就很合适吗？"

野原也是设计本部的管理层之一，是一个十分不起眼的学术型男人，应该跟技术研究所很合拍。

"话虽如此。"

上山说着笑了笑，把手放在桌上的周刊杂志上。

"不过，你又有官司在身。"

"可别误会，被起诉的又不是我。"

良多不知不觉就拔高了声调。

"这个我知道。不过啊——"

上山用教导的语气补充道：

"你一直是猛踩油门冲过来的吧，差不多也该踩踩刹车了。"

良多马上反驳道：

"您这是说的什么话。部长不也是一直脚踩油门，才走到现在这个位置吗？"

上山摇摇头，笑了笑。

"时代不同啦。时代啊。"

上山突然像电视解说员一般回以这番陈词滥调，良多不禁目瞪口呆。

"怎么说呢，稍微也多陪陪家里人。去那边的话，离你太太的老家也比较近吧。"

宇都宫和前桥虽然是相邻的两个县，却一点也不近。前桥到宇都宫的距离就跟从东京过去一样远。上山不可能不知道这一点。

良多终于看出了上山心里的算盘。

"不争气的孩子就要扫地出门，是吧？"

良多的语气变得嘲讽。

"哦？恰恰相反呢。望子成龙才需要经历风雨啊。"

上山把目光移向电脑，似乎在说，你可以出去了。

"到什么时候，这个远行？"

"还没定。"

上山看都没看他，只低沉地丢出一句话。

良多被一脚踢出去了。他明白了，恐怕永远都不可能再回到这个部门了吧。他想起宴会上波留奈说的那句话，那句"最可怕的是男人的嫉妒"。上山是觉得良多的存在会威胁到自己的地位吗？他做过让上山颜面扫地的事情吗？上山是不是一直在暗中祈祷良多的"失败"？不，也许这只是上山自己心中未能察觉的不安在作祟。恰好这时，发生了这次"抱错孩子"事件。于是上山冷酷地放弃了良多。这就是答案。

良多并不是上山的孩子，连养子都算不上。良多终于发现，自己只不过是一个他用得顺手的部下罢了，这发现让他痛苦万分。

上山那句"两个都争取过来吧"的提议又当如何？难道不是把自己当作亲人出发才会替他出的这个主意吗？不对，良多的脑子一转，会不会那句话本来就是为了让自己跟对方家庭起冲突而故意策划的……

良多的心因猜疑而混乱，脑子里萌发出一个接一个的揣测。

他打算离开房间。

但一个新的疑问让他停住了脚步。他忍不住不去问：

"我的后任是谁？"

上山操作着电脑，没有回答。

"是波留奈吗？"

良多微微提高了声音。

上山装作刚才一心在摆弄电脑没有听到的样子，微微露出受惊的神情。之前一直敬仰爱戴的部长，此时看起来却是如此肤浅。

"啊，我是有这个打算。你怎么看？"

就像是在与良多商量一般揣着明白装糊涂。良多没有感觉到不可思议，也没有感到愤怒，只觉得这一切如此薄情和滑稽。

"我觉得很好，从各方面来说，人又贪婪。"

本打算略略嘲讽一下才这般说，上山却似乎吃了一惊，微微皱了皱眉。

良多确信了。上山和波留奈已"暗中勾结"了。

"听你这么说我就放心了。"

马上变成一副笑脸的上山连忙掩饰道：

"至于你的送别会，这个月实在是太忙了……"

良多没有再听他说什么。

如此波留奈该满意了吧。在事业上超越了曾经甩了自己的男人。

他想起来，波留奈叫他去喝酒时他拒绝了，她说了句"亏我还想请你的"。若放在猴子的世界来看，这就是所谓的骑上后背的阶级挑衅吧？纯粹是为了想确认自己处在优势地位。

良多满脑子都充斥着恶意的揣测。

但是，渐渐地他觉得一切都无所谓了。

良多苦笑着回到座位，像往常一样开始工作。

当晚依旧是只有绿和琉晴两个人的晚餐。时间是六点。今天也十分炎热。应琉晴的要求，吃的是"竹筛凉乌冬面"。

绿今天带琉晴去了儿童馆。室内的游玩器具和游戏机可以随便玩这点似乎让琉晴大为中意，看到琉晴邀请一个完全不认识的同龄男孩子开始玩一个叫 UNO（优诺纸牌）的牌类游戏，绿吃了一惊。

之后，因为游戏规则两人起了点小摩擦，不过总体来说还是玩得十分开心。

绿觉得这是"因为琉晴有许多兄弟姐妹"。

至少他跟庆多完全不同。

晚餐的话题是关于杯装乌冬面。

"不光有绿色的，还有黄色的，还有红色的呢。"

琉晴对乌冬面杯面的种类如数家珍，这自然这也反映出了斋木家对吃饭的态度。

绿从来没给庆多吃过杯面。

"这里面你最喜欢哪个颜色的乌冬面？"

绿还在纠结，不知道该如何称呼琉晴。必须叫名字的时候，就叫"琉晴君"或者"琉君"。她还做不到直呼其名，只能尽可能地用不必称呼名字的办法来打发。

"红色的吧。"

琉晴偶尔会夹杂些关西腔。当然是受雄大的影响。听说雄大的老家在滋贺，不过琉晴说一次都没去过，而且雄大的父母也从来没跟琉晴见过面。

"红色是不是酱油味的？"

"不知道。为什么？"

琉晴的口头禅就是"为什么"。总之就是靠这一句话走天下。与其说是口头禅，不如说更像是"看家本领"。说得好听是"一心一意"，说得不好听就是"顽固"。这个性格特质叫人感觉到有良多的"血缘"。

"你问为什么？酱油不是红色的吗？"

"为什么？酱油是黑色的呀。"

绿很想把中元节时收到的还没开封的酱油拿给他看，证明一下鲜度好的酱油的颜色就是红色的。

这时，手机响了。绿有一种预感。

是斋木家打来的电话。

果然，是庆多打来的。绿站起来，给了琉晴一个笑脸。

"嗯嗯。"

绿一边说，一边朝卧室走去，压低了声音。

"好啊。爸爸还没有回来，我给你保密……"

绿的声音并没有清晰地抵达琉晴的耳朵。但光看她那个神情，琉晴就明白是在跟谁打电话。

良多晚上过了八点才回到家。自从跟绿的关系变僵之后，就没有再打对讲电话让她开门迎接了。他跟绿最低限度内的对话，连交谈都算不上，只是汇报而已。还有一个变化，就是良多在床上无法入睡。他便一个人去睡沙发了。

那天也是自己开了锁进了门，坐在餐桌旁的绿慌忙站起来，逃跑似的跑进了厨房，把脸藏了起来。

她在哭。

没见琉晴的身影。浴室隐隐传来洗澡的声音，似乎又一个人玩得尽兴。

良多犹豫着要不要开口说话。但今天不知为何，他觉得很从容。被降职的当天，本以为会焦躁难安，然而连自己都觉得不可思议的是，他的内心充满了平静。

"出什么事了吗？"

他隔着柜台问道。绿睁着一双哭红了的眼睛，递过来一张绘画纸。

"是琉晴今天画的吗？"

绿点点头。

看着这幅画，良多深深地叹了口气。

等琉晴泡完澡出来，良多把他叫进了书房。

琉晴是个从表情上看不出内心情感的孩子。他看起来既不沮丧，也不像生气，但至少可以捕捉到他流露出的不爽。

"为什么画这样一幅画？"

琉晴看着良多的脸，却并不答话。

"你母亲都哭了。"

琉晴虽然一直没接受，良多和绿却不知不觉间确定下来，互相称"你父亲""你母亲"。

琉晴还是不答话。

"不道歉不好吧。"

琉晴继续沉默着盯着良多。

良多也沉默地看着琉晴。

琉晴似乎渐渐地厌烦起来，开始扭扭捏捏地晃动着身体。

"算了，睡吧，去吧。"

良多叹了口气，放走了琉晴。

或许琉晴并没有恶意，只是画着画着就变成了这样吧。

"你忘了说'晚安'。"

良多对正准备走出房间的琉晴的背影说道。

琉晴回过身来，说了句"晚安"，走出了房间。

"晚安。"

门一关上，良多拿起画仔细看着。一头开始变得稀疏的卷长发，一个身穿格子夹克衫的男人，旁边站着一个眼睛大大的短头发女人。这毫无疑问就是雄大和由佳里。在画的上面标着大字"爸爸妈妈"。

这天，良多和绿没能说上话。如果两人一旦说起这情况，绿大概就没法向良多隐瞒庆多打过电话来这件事。

因为这幅画是琉晴在庆多打来电话之后不久画的。

这是来自琉晴的报复。

至少绿是这么想的。

那天，绿带琉晴去了公园。两个人待在家里感觉就要窒息了，恐怕琉晴也是一样的心情吧。

但琉晴与庆多不同，他没有打算跟绿一起玩游戏。他很快就交了朋友自己玩耍起来，很叫人放心。在公园里他遇到了前几天在儿童馆一起玩的孩子。于是，琉晴跑来问能不能跟那个孩子一起去儿童馆。绿说可以，琉晴就跟那个已然成为朋友的孩子一起跑远了。

被留在公园的绿却没有去儿童馆。她也没有理由追过去。她朝庆多喜欢的那个游乐设施走去，是"旋转丛林"。绿坐在"旋转丛林"上，想起了庆多第一次可以把这个转起来的那一天。那还是他刚上幼儿园大班的时候。他算准其他孩子不在的时间，选择傍晚时分或者一大清早就过来，独占攀爬架，反反复复地练习。

她想起第一次转起来时庆多那喜悦的脸蛋，想起庆多可以跳上旋转中的攀爬架又花了许久时间，想起庆多跳上去的瞬间那张自豪的脸蛋。

绿太想见庆多了，难以压制这种心情在自己的身体里疯长。

她多么想给庆多庆祝七岁的生日……

距离琉晴和庆多交换之日已经过去四周了。

　　良多从工作中解放出来了，剩下的工作也无须交接，因为所有的工作都是和波留奈一起推进的。波留奈比良多更加专注于工作。那种专注力，让你从旁边看着，都会犹豫到底要不要跟她搭话。而且，她看起来是那么充实。我以前也是那个样子吗？良多远远地注视着波留奈，就仿佛那已经是遥远的往昔。

　　谁都能看出来这是明摆着的降职。同事和后辈们对良多都有些疏远和冷淡。良多也懒得与他们打招呼。

　　他按时上班，按时下班，在工作间心不在焉地看着在技术研究所拿到的有关屋顶绿化项目的资料。

　　今天一大早开始，琉晴似乎对钢琴产生了兴趣，一个劲缠着绿问怎么用。绿告诉他插上电源就可以弹，琉晴就马上在键盘上乱弹一气，似乎完全没打算要弹首曲子。绿打开庆多留下的入门教材，想要教教他，但他很快就厌倦了。

　　琉晴似乎还是觉得乱弹一气比较有趣。他弹着弹着，似乎又觉得用手敲有点疼，便手肘、手腕齐上阵地敲打起键盘来。

　　绿担心声音太大调低了音量，但琉晴很快就把音量又调上去了。

　　最后他终于放弃了，明明并不太热，他却关了窗把空调打开。

　　他玩了两个小时左右，到底还是腻了，又开始玩起游戏机来。他根本不玩生日时买给他的最新款游戏机，只钟情那个他从家里带过来的。

良多定好了规则：一天最多只能玩三十分钟。他根本不放在心上。绿提醒了他好几次，他也完全当作耳旁风。但绿并没有发火。琉晴一门心思玩游戏的时候，绿就可以稍微松口气。如此便不用想办法打发琉晴了。在琉晴玩游戏的空当，她就可以躲进自己的思绪中。

绿一边织着毛线，一边用空虚无神的眼睛看着琉晴的方向，脑子里想着的却是庆多。

良多那天六点半就回家了，最近回家一直都很早，这种情况自结婚以来还是头一次发生，早上也是悠闲地出门。是出了什么状况吗？但绿没心思去过问。

晚餐的时候，夫妻俩也还是把琉晴当"翻译"说了些话，但琉晴还是心情不好。

吃过饭后，琉晴和良多并排坐在沙发上看电视。但过了一会儿，仿佛突然想起来什么似的，琉晴站起来，插上了钢琴的电源。

良多一声不吭地看着琉晴。

琉晴调高了钢琴的音量，手肘和手腕并用，开始胡乱地敲打起键盘来。当然他也没打算正经弹上一曲。

但良多还是忍耐了一阵，只是眉毛皱了起来。

即便是良多训斥琉晴，他还是有些抵触感。

"吵死了，安静点弹。"

终于良多责备起来。

但琉晴根本没打算停下来。

他粗暴地敲击着钢琴，制造出阵阵噪声。

"说了叫你停下来！"

良多大声吼起来。这是他第一次发怒。

琉晴回过头看着良多，脸上看起来没有任何特别的情感。

然后，琉晴板着小脸朝着良多跑过来。

接着，他从良多身旁跑过，逃进了厕所。

良多竖起耳朵，并没有听到琉晴的哭声。

良多长长地叹了口气，朝钢琴走去，手伸向开关，刚想关掉电源，却停住了。

良多把手指放在键盘上，轻轻地弹出音符，是《郁金香》。

那天，泡过澡之后，绿的心里剧烈翻涌着一些令她如坐针毡的念头。

琉晴在客厅里玩着从前桥带过来的汽车玩具。玩具装了马达，一撞上房间的墙壁就会一咕噜打个转又回到原来的地方，绿完全不懂这究竟是什么构造原理。

玩着玩着，琉晴的动作越发粗鲁。他把车抛出去，撞在墙上。

把壁纸弄破了就麻烦了，绿很想阻止，却使不出力气。她什么也没说，只是越过厨房的台面这么看着。

最后，琉晴完全就是把车往墙上砸。

这时，绿的心中升起一个疑问。

琉晴是不是故意这么做的？故意做些让我们困扰的事情？画雄大和由佳里的画，再写上"爸爸妈妈"，故意拿给绿看；用刷牙粉在镜子上画画；接二连三地问"为什么"，好让良多为难；像要摧毁钢琴一般地演奏；还有，近乎摧残地、粗暴地对待自己珍爱的玩具……

这都是为了什么，为了令我们厌恶吗？

如果是庆多的话，这根本是不可想象的事。

但是，琉晴却不同。他格外"像个大人"。

"啊，坏了。"

玩具车的车盖终于被摔掉了，反复扣动开关也一动不动。

"找他帮忙修吧。"

琉晴说着，拿着玩具去找"躲进"书房中的良多。

果然是自己想错了吧？难道是为了拿修理玩具做借口，其实想要趁机修补和良多因为钢琴被骂而闹僵的关系吗？

不管怎样，这在庆多身上是不会发生的。庆多总能敏感地捕捉到他人的情绪。首先，他就从没固执己见到被骂的程度。就算是被骂了，他也只会哭，几乎没有叛逆的举动。虽然有时也会因为生气而大声喊叫，但之后，庆多都会悄悄递上一封信，用笨拙的字写着"妈妈对不起"，然后附上一个刚学会的星星图案。

好想见庆多。

"这个已经不行了，让你母亲再给你买个新的吧。"

"那就等再回去的时候让爸爸给我修。"

传来琉晴开心的声音。

"琉晴，你等等。"

耳边传来良多严厉的声音。

"那个家已经不会回去了，你会一直在这里生活。叔叔才是你真正的爸爸。"

"真正的爸爸"，这是良多第一次在琉晴面前勉强说出这件事。

琉晴沉默了。

"你再给我瞧瞧。"

又传来一阵噼里啪啦修理玩具的声音。良多最不甘心的就是输给雄大。

绿的脑海中有一个画面慢慢浮出。

那是她和由佳里两人在河滩上看着孩子们嬉戏的时候，最后一次家庭度假。

那时，庆多和琉晴小指拉钩。她一直很介意，两个人之间到底做了什么样的约定？

莫非……

但绿还是自嘲地笑笑，压下了这个念头，才刚满七岁的孩子，不可能会考虑这种事情。

互相约定去故意做一些惹父母反感的事，不可能……

然而，绿还是有点想打电话去跟由佳里确认。庆多有没有捣乱？若是庆多也在做跟琉晴一样的事情……

这一切怎么可能是有意而为之？都不过是寂寞悲伤的孩子们的苦苦挣扎，以状似叛逆的方式表现出来……

无论真相如何，这都是一件痛苦的事。

就连大人也一起在苦苦挣扎。

绿决定不再去想这些，想了也只是徒增痛苦罢了。

良多今天依然睡在沙发里。其实把客人用的——说是客人用，其实也只有里子用过一次——被褥铺在客厅睡就好了，但他就是嫌麻烦，而且并不乐意被绿看到这副模样。再说沙发睡起来也不错。最重要的是不再需要忙那些让他疲惫到需要被治愈的工作了。

琉晴和绿在卧室睡下后，他又继续看了会儿电视。不过节目都尽是些无聊的东西，良多决定还是睡觉。

一躺下就看到一片星空。云层之间，稀稀落落看见的尽是星星，这并不是什么值得大惊小怪的事。但是，自从搬到这个公寓以来，自己可曾有过一天这样悠然地仰望星空吗？良多深深地叹息着。

　　第二天早上，天色还微微发暗的时候良多就醒了。看了看时钟，才五点。虽说六点半出门就可以，这么早起也没什么用，但良多已经睡意全无。

　　他一撑起上半身，手就塞进了沙发垫的空隙里。他的指尖似乎触碰到什么，拿起来一看，是一朵玫瑰花，应该说是一根玫瑰花枝。

　　是父亲节那天庆多在学校做的、送给他的那朵折纸的玫瑰花。良多把沙发垫都拿起来看了看，却没找到花朵的部分。

　　他还清楚地记得收到花时的场景。玫瑰花应该有两朵。另一朵是庆多为雄大做的，说是作为他修好了机器人的谢礼。

　　就因为这一句话，让良多对那朵玫瑰花失去了兴趣。收到礼物后，也不记得顺手放在哪里了。看来是放在了沙发上，之后不知什么时候就溜到了沙发垫的缝隙里。

　　但是，为何只有花不见了踪影？如果是掉在缝隙里了，也应该是在一起才对。

　　兴许是放在沙发上翻来滚去地散了架，只有花掉落到了别的地方。

　　是不是绿用吸尘器吸走了？以为是垃圾，给扔了……

可绿不是这种性格的人。良多扔掉的工作用的便条，她都会捡起来问一句扔了可以吗，就更别说是把折纸做的玫瑰花扔掉了。若是如此，是庆多捡起来了吗？看到失去了花枝、掉落地板的花，庆多又会是怎样的心情呢？

良多的脑海里浮现出庆多那哀伤的脸。他不是个会拿着花来责问自己的孩子，他只会悲伤地看着那朵花，沉默不语吧。

良多检查了一下沙发，找遍了家中所有的犄角旮旯。

然而，花依然全无踪影。

庆多真的知道花的去向吗？如果庆多知道，这对他来说将会是一生都无法忘怀的阴影吧。

11

今天是第一天去宇都宫的技术研究所上班，良多选择了开车前往。公司虽然会报销坐新干线通勤的费用，但由于长时间都是开车上下班，所以他没有坐电车的打算。只要使用高速公路的折扣价，基本上靠电车定期费的补贴就够了。油费虽然是自掏腰包，但这也是享受驾驶乐趣的代价。

通勤时间大约要两个小时。这也跟坐电车没什么差别。

虽说是降职，但是待遇基本上没变，职位也相同，不同之处只有谁也不会关注的工作和未来的前途。今后恐怕职务也好、工资也好都不会再上升了吧。即便如此，要维持一家三口现在的生活，这个数额还是足够了。

早上，出门前良多只跟绿说了句"我被踢到宇都宫的技术研究所去了"。绿似乎吃惊不小，但并没再说些什么。

良多所属的屋顶绿化项目是一个五人的团队。良多虽说是个领导的职位，不过在这里也不过就是个摆设。部下都是从事屋顶绿化研究好多年的研究员。所以他的工作也不过是管理他们的工作进展情况罢了。

虽然早晚还是会找点"工作"来干，不过现在他不过就是个碍事的。

良多的办公桌孤零零地设在一个宽敞的办公室的角落里。似乎部下大部分时间都待在实验室，并不在办公室里露面。他们跟良多打过招呼后，就迅速缩回实验室去了。

留在办公室的多数是跟良多一样，被从本部的其他部门踢出来的闲人，还有几位是临近退休的老前辈。有好几个以前见过面的，不过现在也仅限于象征性地打个招呼，不再有什么过密的接触。

很多职员一大清早便堂而皇之把报纸摊开在桌子上看，这着实让良多吃了一惊。

不过，如今已经过了对此表示愤慨的时期。

那天下午约好了有客人来访，是铃本律师从忙碌的工作中抽了空当过来拜访，目的是来汇报诉讼的结果。良多告诉铃本可以把书面文件直接寄过来，如果有必要见面的话自己会过去事务所那边。不过，铃本说因为刚好有事去小山，顺便来拜访下，而且如果换成其他日子，恐怕最近就没时间见面了，良多也只好勉为其难地同意了。

降职这事任谁都看得清楚明白。虽然不想让铃本看到他如今这副田地，不过既然过来拜访了也不能随便搪塞，良多便把"自己被踢出来"的事告诉了铃本。

铃本一开始似乎觉得这只是个玩笑。因为他从来就没想过良多会被降职，他以为调去宇都宫是为了新项目而临时做的安排。

虽然这样的解读会让自己比较好受，不过良多还是毫无隐瞒地跟铃本说了实情。

铃本说要给他介绍擅长劳务关系的律师。

良多也知道铃本是真心实意地在为他担心。他郑重地拒绝了介绍律师的事，约好了在宇都宫会面，便把电话挂了。

宽敞的办公室的一角被布置成了一间会议室，四面全是玻璃。良多把百叶窗全部放了下来，倒并不是为了挡住屋外的视线。而是，不想让铃本看到那些没有工作到处闲晃的人。

铃本用比平常更加闲散的语气宣告着良多的全面胜利。法院准许了申请中百分之七十的金额。有了这个数目，虽然买不起良多如今开的这辆车的同款新车，不过，斋木家可以买好几辆那种小型货车了吧。

良多心里有数，不管那金额有多少，都无法填补自己失去的东西。

"什么嘛。难得我大老远地跑来汇报胜利，你倒不怎么高兴嘛。"

铃本把背靠在会议室的大椅子上，笑着说。

"没赢啊，我没有赢。"

良多没有坐在椅子上，还是保持站立的姿势，仿佛背上的筋骨被人抽走了几根，弓着的背看起来毫无自信，也苍老了许多。

"这个，可能吧。诉讼这种事没有谁会是真正的赢家。"

听了铃本的话，良多摇了摇头。

"我说的不是这个。"

铃本被良多这充满自我反省的语气震惊了。从前，良多从来没有在人前展露过这种状态。他一直都很强势，是不容辩驳的强硬派……

"我是不是做错了？"

良多喃喃地说道。

"这可不是你的风格啊。"

铃本反复地观察着良多的脸，似乎感到十分有趣。

"不过呢，野野宫，不知为何，感觉我要喜欢上你了。"

铃本打趣道，不过似乎也并不全然是开玩笑。

"笨蛋。被你喜欢，我可一点都高兴不起来。"

本来是要说些玩笑话，来报复下他的打趣，结果却变成了认真的语气。

铃本一本正经地看着良多。

良多苦笑着，挥挥手，打断他的视线。

"怎么了？想要被谁喜欢啊？岂不是越来越不像你了？发生了什么事？"

铃本半开着玩笑，但语气变得担心起来。

良多苦笑着摇摇头。

"啊，对了。"

铃本从西装里掏出一个信封，一个没有任何图样的白色信封。

"差点忘记了，这个。"

铃本甩了甩信封，把它放在桌上。

"是什么？"

"那个护士给的。和医院的赔偿金是两码事。怎么说，算是她尽己所能最大的诚意了吧。"

良多想起来护士姓宫崎，脑海里残留的记忆是她和家人一起消失在裁判所的走廊时的背影，却怎么也回忆不起她的长相。仿佛是受到了太大的打击，反而让始作俑者的脸从他的记忆中被抹去。

他拿起信封。良多该对这信封的分量作何感触才好？免罪符吗？他应该愤怒才对。她把自己的痛苦转嫁到别人身上，以此来获得内心的安宁。她完美了。自己的家庭已土崩瓦解，陷入不幸的境地。

应该愤怒的。然而，良多却什么感觉都没有。

五点从技术研究所出发，到家已是七点半。回程由于赶上市区的晚高峰，道路没有早上那么通畅。

把车停在地下停车场后，良多没有起身，就那样待在车里。他把头伏在方向盘上，一动也不动。

过了一会儿，良多从车上下来，朝入口走去。然而，他的脚步却突地顿住了。

他转过身，朝停车场的车辆进出口处跑去。

良多去了车站前的一个站着喝酒的小店。这是一家别致的吧台风格的小店，最近很是流行。店里还有两个年轻女人，并排站着喝着鸡尾酒、吃着炸串。

在离她们稍远的地方，良多大口喝着威士忌。他先一下点了三杯双份威士忌，觉得麻烦，便跟酒保要了一整瓶。

"我们这里是不能存酒的。"年轻的酒保提醒道。

"要是剩下了我就带回去。"

良多笑着说。

他往装满冰块的玻璃杯里满满地倒了一杯威士忌，咕咚咕咚地一口喝了个干净。

"噢——"酒保和年轻女人看着良多喝酒的豪爽劲头，都发出惊叹。

良多狠狠地瞪着酒保。

酒保做了个鬼脸低下了头。

再喝一杯，这次他放慢了速度。他感觉内心一点点放松下来。

同时，一股怒气涌上他的心头。微弱的、愤怒的火苗，以酒精为燃料燃烧成熊熊大火。

诚意？要是把那个信封交给绿，绿会说什么？结果无非就是被责问"为什么要收这种东西，到时候怎么办"。要跟绿回嘴"事到如今你跟我说这个有什么用，要不然你自己去说呀"，还是说"你说的话我一辈子都不会忘记"？

怒火的走向有了瞄准绿的苗头，他把发怒的对象改成了那个叫宫崎的护士。把这个信封给退回去。就这区区五万日元的诚意。这穷酸得让他笑都笑不出来的金额，还特地通过律师送过来，简直不可理喻。这还包括在律师的经费里。东京到宇都宫往返要用掉一万日元。就是说这诚意也就值四万日元。

他倒想问问那个护士，自己不得不在这里借酒消愁的钱要怎么算？庆多的入学费用要怎么算？自己的父亲到现在都还惦记着想用这个数目的钱去还债翻盘。庆多的制服和学校专用的书包和袋子要怎么算？失去了贵族学校庇护的胆小鬼庆多去到农村要怎么办？为了让琉晴进入成华学院上补习班的钱和学费怎么办？跟绿之间产生的致命鸿沟要怎么办？已经生不出孩子的绿要怎么办？那没有教养、任性妄为的小鬼要怎么办……

我已经醉了。

没有教养？对。是教养的问题，不是我的"血缘"问题。不好的地方都是教养的错。好的地方都归功于"血缘"。当然前提是有好的地方，哈哈哈。

良多从钱包里抽出一万日元放在吧台上。

收了找的零钱，他走出正门，还没醉到双脚打晃的地步。

他从袋子里拿出信封，信封的背面写着住址和宫崎祥子的名字。从这里坐电车过去要一个小时。

不能坐出租车，如今自己已经是个要计算每一分钱的穷酸工薪族了。

良多在电车里晃悠了一个小时，酒快要醒了。不过没关系，酒醒了就再在车站前喝个烂醉就好。

护士的家位于东京西部最边缘的街道。电车拥挤不堪，良多有点恶心，结果还是半途下来改坐了出租车。

已是晚上八点半，电车车厢尚未饱和。良多不习惯坐电车通勤，光跟旁边站着的人膝盖相碰都给他带来不小的心理压力。

他坐上出租车，酒稍稍醒了些，但还是毫无疑问已经醉了。他心中的那把怒火尽管已经摇曳微弱了，但依旧燃烧不止。

出租车抵达了目的地。良多从出租车窗户向外抬头，看他要去的房子。虽然没有父亲良辅住的公寓那么破旧，但也是座十分陈旧的公寓了，建成大概有四十年了吧。五层楼，没有电梯。

护士的房间是二〇四号。

良多下了出租车后朝房子走去。上了楼梯右拐，就是她的家。

换气扇打着转，吹出炖菜的香味。这是他十分熟悉的一种味道。

他站在屋外竖起耳朵听了一会儿。里面传来一个刚过变声期的少年的声音，还有一个已经算不得年幼的少女的声音，好像是因为吃饭的事斗起嘴来。一个似乎是母亲的声音在劝架。最后，似乎是儿子的声音开始逗乐起来，吵架声变成了欢笑声。其中没有听到父亲的声音。

这就是让她把别人置于不幸的理由的"亲子关系"吗？她说过，关系改善了。但是，这难道不是她把别人拖入不幸的深渊才得手的"幸福"吗？

良多的怒火又被激起来了。但，似乎哪里又更清醒了些。

良多敲响了铁制的大门，用拳头敲得咚咚作响。

"你回来啦。"

里面传来女人的声音，门开了。

大概以为是丈夫回家了吧。满脸笑容地打开房门的女人的脸，在看到良多的瞬间就僵住了。

"啊——"

祥子结结巴巴地说不出话来，微微整了整衣装，趿拉着拖鞋走到门外，回手将门关上了。

她深深地低下了头。

"是炖菜啊，闻起来很香啊。"

用的不是牛肉，而是猪肉做的炖菜，继母信子也经常做。父亲因为这个当不了下酒小菜而发过脾气，大辅和良多倒是会把炖菜消灭得一干二净。

祥子不知该如何回答，视线游离不定，再次深深地弯腰鞠了一躬。

良多从西服的内袋里掏出那个里头放了钱的信封，递过去。

"这个还给你！你的诚意！"

良多刻意慢慢地强调了"诚意"两个字，漂亮地恶心了她一把。良多那轻微的愤怒如今开始转变成一种肆虐的、扭曲的快感。

"对不起。"

祥子再次深深低下了头。

"就因为你,我的家庭已经变得一团糟了。"

祥子低垂着头,全身都在颤抖。

"我想问你一个问题。你就是因为知道自己的罪行已经过了时效了,才会做出那样的举动吧?"

祥子抬起头,不停地轻轻摇头。

"不是这样的。我不知道时效的事,真的。"

如果这是演技的话,那么这就是可以媲美一流女演员的激情表演。

但良多嘲讽地一笑。他还想多折磨她一会儿。

"撒谎!"

他的声音越来越大。他感到自己的酒劲又上头了,但已经无法停下来。

"你明知道在那里坦白也不会被问罪才那么做的。既不会再被问罪,又可以把自己从良心的谴责中解脱出来。真是一举两得啊!至少如果我是你,我就会这么干。没错吧?"

祥子只是摇头,嘴唇就像缺氧的金鱼一般,一张一合,却发不出声音。

自己应该还有想要倾吐的事情。在那个酒馆想了那么多,现在要一吐为快,把这愤懑和抑郁一扫而光,哪怕是一点点也好。

门咯吱一响，打开了。一个光头冲了出来，挡在祥子的面前。说是挡，他看起来也就一米五左右。大概是个棒球少年吧，脸晒得黑黝黝的，只有眼睛格外引人注意。

那双眼睛正在瞪着良多。他张开双手，似乎是在保护自己的继母。这究竟是怎样的一场闹剧。

"小辉。"

祥子小声地唤着儿子的名字。但那儿子拿眼睛死死盯住良多，纹丝不动。

"没事的。是我不对。"

祥子对儿子说。

但儿子还是一动不动。

"跟你没关系吧。"

良多厉声说道。他自己也知道自己的表情变得十分可怕。

但是，那儿子却没有移开视线。

"有关系。"

儿子开口道，声音有些嘶哑颤抖。他在害怕。

"跟你没关系。"

良多伸出手想要推开他。

男孩拼命抵抗，大声喊道：

"她可是我妈啊。"

良多心中一惊。

为了不让男孩看出自己内心的动摇，良多收起了脸上的神情。

良多举起了手。

大概以为他要大打出手，祥子"啊"地喊了一声，想要护住儿子。

男孩咬紧嘴唇，却依旧瞪着良多，身体纹丝不动。

良多把举起的手咚的一下放在少年的肩头，然后轻轻地拍了拍，转过身离开了。

祥子觉得良多在临走之际似乎对儿子笑了笑，仿佛在说"挺能干的啊"。

祥子深深地弯下腰，久久地朝着良多的背影默默鞠躬。

良多朝着应该是车站的方向走去。渐渐地，人开始多了起来，店铺也多了起来。他想冲进酒馆喝到烂醉为止，但脚还是直挺挺地朝车站走去。

良多受到了深深的打击。他本想通过责难对方来获得解脱，却反而被压制了。

那个少年的一句话，凌驾于四十二岁的良多之上，居高临下地狠狠嘲笑着他。

——那是庆多出生后过了几天的时候。

绿的出血已经得以治愈，医生判断不会影响日常生活。但在办理出院手续之前，他们却被主治医生叫进了会诊室。

在那个会诊室，他被告知绿已经无法再生第二个孩子了。

因为还沉浸在喜得一子的余韵中，听到这个消息时他全然没有实感。他自以为自己已经冷静地接受了这个事实：自己只是失去了这个可能性。

然而，走出房间后，良多才渐渐开始有了真切的感受。今后自己的人生将再也不会有孩子了。自己不算早婚，当时已经是三十过半了。他还曾漫不经心地想过，到四十岁的时候还想再生一个或两个，可以的话最好是女孩。

他一直觉得作为组建家庭的伴侣，绿是最佳人选。

绿受到了很大的打击，甚至需要护士为她准备轮椅。

绿拒绝了轮椅，要自己走。然而若不是良多在一旁搀扶，她连一步都走不稳。

良多压抑着自己想要责备绿的冲动。

但是，渐渐地，他开始因为这无处说理的憋屈而气愤不已。他想，这种小农村的医生懂什么，要是去东京母校的大学医院找人介绍优秀的医生，也许会有不同的诊断结果……

里子此时应该抱着庆多等候在电梯间。刚从走廊的角落转过去就听到了那个声音，那个有些耳熟的声音，自己绝不会忘记的声音。

微暗的走廊尽头，和里子面对面说话的人是良辅。一旁则伴着信子的身影。

"就说了一句'生了'，之后不管怎么打电话都不接。这可是野野宫家好不容易迎来的继承人，我怎么能坐视不管，就跑到这里来了。哈哈哈。"

里子有点惶恐地低下了头。

"啊，这还真是抱歉，没跟您联系。绿产后身子就垮了，所以就有点那个……"

"算了，没事的。总之先让我抱一抱。"

良辅从里子手中抱过庆多。虽说动作是笨拙了些，但将庆多稳稳地抱在怀中，他盯着孩子的脸看了又看，笑起来。

"哦，哦，这小脸蛋可真漂亮，将来是个美男子啊。"

停下脚步目睹了这一切的良多，神情越来越阴沉。父亲的笑容让他火大。这个男人对家人一向置若罔闻，任性妄为地活过来，如今却摆出一副祖父的面孔，抱着孙子傻笑，这副嘴脸真是让人生气到极点。

"脖子还立不起来，别随便抱。"

良多一脸不快地对良辅说着，一把将庆多抢回来，交给里子。

"干什么！你看他不是被我抱得很开心吗？"

良辅不满地说。

"没有人喊你过来。"

他的确向父亲传达了家里降下一子的消息。在跟哥哥大辅报喜的时候，被哥哥千叮咛万嘱咐，务必也通知下父亲。不然的话，良多可能连通知都不会通知他一声。

他在公司里用电话通知了一句"生了"。本来也忙得焦头烂额，说完这一句他就挂了电话。他事后才知道信子往他家里打了好几次电话都没有人接。绿也住院了，良多就一直住在公司，赶着设计大赛资料的最后完工。

"孙子出生了，我来庆祝一下，有什么不对！"

良辅的语气也变得凶狠起来。

"事到如今，别跟我说这种话。你……"

良多正要把迄今为止积攒下来的愤懑全都释放出来，等在后面的信子用责备的语气喊了他一句：

"阿良。"

良多闭上了嘴，却用可怕而冰冷的眼神看向信子，回了一句：

"这跟信子女士没有关系。"

听到良多的这句话，信子因吃惊而睁大了眼睛，接着缓缓张开了嘴，但最终也没有挤出一句话。

良多把视线从信子的身上移开。随后，他把良辅和信子抛在身后，兀自走了。在回去的车上，里子和绿还一直在担心着良辅等人。但良多一句话就堵住了她们的嘴，"跟那些人没有关系"。

良多换乘上空荡荡的地铁，晃悠到自家附近的车站。威士忌的酒劲逐渐清醒，他难以忘怀那个黝黑脸庞少年那笔直的眼神。那视线中没有任何虚荣，亦没有任何装腔作势，他只是真心实意地想要保护自己的"继母"。

良多满脑子都是这件事，直到走到公寓门前。

他不想抱着这份心情回家。

良多朝地下停车场走去。他坐在车子的驾驶座上，发动引擎，打开了空调，但心情却无法就此平复。

以良多的价值观来看，这么做无疑是一件叫人不好意思的事。他认为这样太优柔寡断了，但是他必须这么做。

良多拿出手机，拨出了电话。

"你好。"

回答的是一个女人的声音。他想着，如果是男人的声音，他就立马挂断。

"我是良多。"

"啊呀，阿良，前段日子多谢了。"

电话的那头是信子。

"嗯，那个……"

良多有些难以启齿地支吾起来。信子似乎察觉到了他的犹豫不安，马上说：

"啊，找你爸爸吧？"

"不是的。我想跟你道歉。"

"什么呀？我可不喜欢这么严肃的话题。"

良多的语气是从未有过的认真，信子似乎在有意克制。良多心想，可能父亲就在旁边吧。

"以前……"

刚说出口，电话里传出了异常明快的声音。

"没事啦！以前的事我全都忘记啦。我倒想跟你聊些更无聊的话题。那个，比如谁戴假发啦，谁又整形啦。"

他只说了一句"以前"，不，他刚说出"我想跟你道歉"的时候，信子似乎就已经意识到，她知道是指七年前在前桥中央综合医院的那件事。换言之，信子受伤如此之重，甚至根本不愿再提及。

"是啊。"

良多觉得自己的声音里是从未有过的无力。他就是为了让自己不用说出这般无力的话，才拼了命地活到今天……

"哎呀，你爸爸在叫我呢。"

电话的那头听到有人在叫"没有酒了"。

"嗯，知道了，知道了。"

良多没有注意到自己的声音变得有些孩子气了，仿佛是在撒娇。

"挂啦。"

信子说着挂了电话。

自己以前可曾跟她撒过娇？因为心中早已将她界定为女用人，所以除了必要的事情，从来不与她说话。他是何等顽固。一直到高中毕业，他始终这样执拗着。而信子却从未因此责备过他，一次也没有。

就如那个护士一般，"孩子跟自己不亲近"是如此痛苦之事，甚至想到要去破坏别人的幸福。

父亲喝了酒发疯殴打信子的时候，自己可有过出手阻止？没有，一次都没有。他只是眼睁睁看着，想着"跟我没关系"就这样逃出了家门。

不仅是从前。一个即将四十岁的男人了，还不管不顾地说出"跟你没关系"这种话。

而在祥子的家门前，他说"这跟你没关系吧"的时候，那个少年却说"有关系"。他说"她是我妈妈"。

自己甚至不如一个"板栗头"的中学生。

良多感到迄今为止支撑自己走到今天的某样东西正在土崩瓦解，离他而去，发出崩塌的声响。不，一切的一切都从自己的身边逃离了，远去了……

用镊子把植物的种子等间距地埋进凝胶中——这里是三崎建设技术研究所实验室，良多注视着一个研究员指尖的操作。论职位他是良多的部下，但是良多聚焦的眼神中却没有一丝感兴趣的神色。

"年度自来水使用量由于雨水的利用而大幅减少。对植被浇灌用水和对河岸区的补给水加起来也不过 42.6 立方米……"

研究员橘是一个三十多岁的男人。他手脚麻利地排列着种子，不用看任何资料就能十分流畅地报出准确的数字，应该是彻头彻尾的技术出身。

良多每天都会这样跑几趟实验室，与他们聊聊屋顶绿化的事，然而委实无聊。无聊的原因，一是不感兴趣，二是自己并不擅长动态监控的工作。良多顶多是听听他们的研究结果罢了。

不过待在办公室里又十分憋屈。整整一个上午都在看报纸的"管理层"都三三五五聚到一起商量午餐吃什么。叫上附近现场的操作人员一起出去"忙应酬"。一个午餐竟然吃了两个小时，还把餐费作为经费结算。

或许这是从主流被排挤出来的他们对公司的小小报复吧。

良多叹了口气。

究竟该如何是好？

这时，窗外有什么东西在动。

那里有一片叫作"群落生境"的人工林。说是人工林，却并没有人工照料，是一片自然生长的杂木林。宇都宫车站前鳞次栉比的大楼的一角却有一片杂木林，委实是个不可思议的景象。不过，这研究本来就是依据"从自然中学习"这个流行趋势而诞生的，良多经手的屋顶绿化项目也是"群落生境"的一个环节。

杂木林中有一只捕虫网在移动。

手持捕虫网的人让良多大吃一惊。他头戴稻草帽，身着卡其色工作服，脖子上挂着一个双筒望远镜，脚蹬长筒靴。这副打扮让他想起了一张照片。那张夹带在护照里的头戴稻草帽、手持捕虫网的少年时代的良多的照片。

良多来了兴趣，下楼朝杂木林走去。

那个男人一看见良多就恭敬地行了一礼，似乎是认识良多的。男人的名字叫山边，看起来比良多还要年长，才不过三十八岁，极其沉稳，宛如垂暮老者，但端正的容貌又有着如哲学家般的理性和智慧。这在建筑公司里是极少见到的类型。

"我跟你一样，原来也是一个建筑师。"

一边在杂木林中漫步，山边一边跟良多说。果然山边是知道良多的，良多对山边却完全没有印象。若是在稍前一段时间，他大概会把山边视为一个失败者而不屑一顾吧。而如今，却跟在这人的身后，在这林中漫步。

"这个林子是为了做研究而人工种植的。"

这个已经知道，但究竟是为了做什么研究良多却一无所知。迄今为止他都没兴趣去了解一下。

"啊，是琉璃蛱蝶。今年也来了呢，琉璃蛱蝶。"

山边的声音雀跃起来，良多也顺着他的视线望去。那是一种乍一看十分不起眼的茶色蝴蝶，不过，翅膀的表面有着鲜艳的深蓝夹带琉璃质感色带状纹路，十分漂亮。

林子是个名副其实的杂木林，各种各样的树木和杂草在这盛夏里茂密生长，弥漫着青草的团团生气。种植的树看来是以麻栎居多，并不适合做建筑材料。

但独角仙和锹形虫十分喜欢这种树木的树液。喜爱昆虫的良多触摸着麻栎，却意外发现那处有一只知了的蝉蜕。

良多不假思索地把它拿在手中，脑海中浮现出庆多一脸炫耀地给他看过了季节的蝉蜕的场景。讨厌虫子的庆多要如何在那个乡野之地度过这个夏天呢？

"这个知了是在这里出生长大的。知了要从别处飞到这里并不费劲，只要种够一定数量的树木，就会自然聚拢过来。"

良多凝视着淡然解释的山边的侧脸，心想着，这个家伙究竟是什么时候开始在这里的。仿佛看透了良多的心思一般，山边笑着说：

"知了在这里产卵，幼虫长大后破土而出，羽化后留下蜕壳，这整个周期要花十五年时间。"

"这么长……"

良多脱口而出。十五年间，良多参加了无数的项目，经手了好几个超大型建筑。而在这期间，这个家伙却在这里建了个林子，让知了在此羽化蜕变。

良多苦笑起来，蓦然回首自身，最终良多手中还剩下什么呢？被踢到这与老本行毫无关系的技术研究所，被迫过着隐居般的生活。家庭在濒临崩溃的边缘。一念及此，他就连苦笑也笑不出来了。

山边又温和地笑了笑。良多感觉自己的内心又被看穿了。

"很长吗，十五年？"

山边的提问让良多心中一震。他情不自禁地想到了跟庆多一起生活的这些年，也是与琉晴分开的这些年。

很长吗？抚养庆多的六年，与琉晴分开的六年。究竟应该选择哪一边？说到底，这应该由父母来做选择吗？

但是，毫无疑问，庆多也好，琉晴也罢，都是这人工林中的知了。因大人们的干涉，他们的人生发生了巨大的改变。

知了的幼虫应该从哪里起飞，又该飞向何处呢？

良多追寻着答案，朝林子上空望去。

树梢之间，宇都宫碧蓝的天空看起来是如此狭小。

气温已经超过了三十六摄氏度。电视台也在争相报道酷暑来临。

绿带着琉晴坐电车三十分钟左右抵达一个特设会场，参加这里正在举办的恐龙展。绿完全不知道这有什么趣味，但琉晴十分兴奋，对一种叫剑龙蛋的化石十分痴迷。

他们从早上出来后，就在那个会场里待了足足六个小时。这期间，琉晴找到了志同道合的人——一个看起来差不多年纪的、同样热爱恐龙的男孩。他便抛下绿，自顾自在会场里四处奔跑。绿跟那个男孩的母亲也聊了一会儿，不过说的多半是诸如"男孩子就是毛躁，真是头疼啊"之类的话。每次她这般说，绿都觉得莫名焦躁，心道果真如此吗？但她很快就察觉到自己不痛快的原因了。无意识间，绿脑子里想的不是琉晴，而是庆多。庆多并不是个毛躁的男孩。

他们与那男孩和他的母亲，四人一起吃了午餐。在餐桌上，她明白了那位母亲说这话的意思。那男孩跟琉晴一样，都是一刻都停不下来、粗野而且不听管教。

吃过午餐后，琉晴依旧与那男孩一起玩耍。绿却渐渐窘困起来，她害怕那男孩的母亲会知道"抱错孩子"的事。

若是她知道了会如何反应呢？猜想大概会说，交换孩子什么的简直不敢相信，亏你做得出来之类的。

绿都还没有向家附近的妈妈们介绍过琉晴，当然也没有提起庆多已经不在自己身边的事情。她说不出口，也不能找人商量。这种事任谁都不能感同身受吧，可任谁都不能成为解决这个难题的当事人。而对绿来说，即便到了此刻，这个难题也并没有解决。

绿筋疲力尽，她想快点回家。

回到家已经是下午三点。

她问琉晴，要不要稍微睡个午觉，但琉晴说他想玩游戏机。

绿便一头栽倒在床上，就像被梦魇吸住了一般昏睡过去。

卧室的门一直开着，尽管睡着了，但她还记得耳边传来那早已听熟的琉晴的游戏机的声音。然而，她再一睁眼，天色已经微暗了。

看了看时钟，已经过了六点，她睡了三个多小时。

她慌忙跳起来，看了看客厅，鸦雀无声。

没看见琉晴的身影，经常随手放置在沙发上的游戏机也不在。

挂在餐厅座椅背上的琉晴的小背包也不见了。

绿跑到玄关处一看，鞋子也不见了。

她脸上失去了血色，几乎要晕过去。

"琉晴！"

　　她发出从来没有过的声音大声呼喊着，一边仔细在每个房间搜索，也许他是藏在了什么地方。

　　是浴室，想到这点的时候，她全身的血又涌了上来。浴缸里昨晚泡澡的水还留在那里。通常她都是早上洗完衣服就会把水放掉，但这天因为一大早就出门了所以……

　　琉晴也许是在玩水。这时，他的脚下一滑……

　　脑海里浮现出琉晴的小身体漂浮在浴缸里的模样，她几乎要惨叫出声。

　　她推开浴室的门，一个人也没有。再打开浴缸的盖子，还是没有。

　　剩下的就只有储藏室了。绿打开门一看，琉晴根本不可能在里面。储藏室的东西堆积如山，即便是琉晴的小身躯也是不可能钻进去的。

　　"琉晴！"

　　没有任何回音，也没有任何声响。一个刚满七岁的小男孩，不可能隐藏得如此彻底。

　　绿在玄关处穿上鞋子，跑到了外面。儿童馆已经闭馆了，要去的话只有公园了。

　　她开始后悔穿着拖鞋出来了，好几次都差点摔倒，但还是心急如焚地奔跑着。

　　到了公园，绿彻底绝望了。公园里听不到一点孩子的声音。

太阳完全西沉，公园的灯已经亮了起来。

公园里一个人影都没有。

她给警察打电话，已经走投无路了，虽然会把事情闹大，但现在已经别无他法了。

手机应该放在衣袋里了，就在脑海里冒出这个念头的瞬间，手机在衣袋里振动着响了起来。

绿慌忙地掏出来，放在耳边。

"啊！"

绿吐出一口气，全身都松弛下来。她就这样跌坐在公园的正中央。

良多接到绿的电话时正在车里。出了宇都宫，马上就要进入首都高速公路的时候，他听了绿的话，直接驶入首都高速公路，穿过关越机动车道，朝前桥奔去。

已经尽量将车开快，但良多抵达斋木家的时候还是过了八点。把车停在电器店门前，他便推开了商店的门。

"不好意思！我是野野宫。"

听到这个声音，在客厅与琉晴玩耍的庆多满脸放光地站了起来。

斋木家刚吃过晚餐时，琉晴突然回来了。雄大和由佳里虽然大吃一惊，但还是把琉晴带到佛堂那边，对着佛龛说了些什么。不久，琉晴一个人吃了顿迟到的晚餐，心情大好地大笑大闹起来，逗得雄大等人哈哈大笑。大和和美结也十分开心，黏在琉晴的身边不肯离开。

雄大和由佳里都没有给庆多做任何解释。

庆多却这样理解，他以为"任务"结束了，琉晴也回来了，良多是来接自己的。最近他晚上也没有哭，跟大和和美结吵架也基本不会再输了。让他们给买的暑假练习册每天都做了许多页，以至于雄大都阻止他说"别再做了"。四十天分量的练习册，无论是国语还是算数都在一周内做完了。

我已经变坚强了，也变优秀了。

所以"任务"结束了，所以爸爸来接自己了，妈妈大概正在车里等候……

"琉晴！"

是良多的声音在呼唤。

这个声音令庆多当场蹲了下去。随后，庆多马上钻进了房间最里面的壁橱，藏了起来。

爸爸来接的不是自己。他不想看到爸爸的脸，也不想被爸爸看到。

"哎呀，你好你好。"

雄大把良多迎进来，说明了情况。

"说是公寓的旁边有一个公园，从阳台上能看到公园，见到有一对父子正在放风筝……就想放风筝了。"

"放风筝？"

良多的脸冷下来。雄大竟这样把孩子的借口照盘全收。

"他是怎么走到这里来的？"

从厨房走出来的由佳里回答了良多的问题。

"问了他，好像是紧贴着过检票口的大人的身后过来的。"

"但是，竟然能走到这里……"

琉晴确实很擅长记路。但是从东京到这里至少需要换乘两次，而且必须乘坐新干线。他究竟是如何通过新干线的检票口的？说起来，这条路线……以前跟绿一起坐电车来过一次。是那个时候记下了路线吗？

"这家伙就这方面机灵得很。"

雄大有些自豪地夸赞着琉晴。良多却十分恼火。

"这种时候还夸他吗，麻烦好好教训一下吧，不教训一下，以后不是会三番五次搞出这种事情来吗？"

他这么一说，由佳里从厨房走出来，粗声粗气地说道：

"等一下。那么，你是要我们把饿着肚子的孩子大骂一顿赶出去吗？这种事怎么可能做得出来！"

"话是这么说……"

语气虽然不满，但良多也不知如何接话。

雄大就像从中调和一般对良多说：

"算了，要是进展得不太顺利的话，暂且让他回来这边也行……"

良多无言以对，连反驳的余地都没有。

由佳里趁势说道：

"对，就是啊。我们家抚养琉晴和庆多两个完全没问题。"

良多被这句话彻底击败了，立场已然反转。

良多这时气得脸都歪了。

"没关系的。我会努力试试的。"

好不容易说出这句话，但这说辞却仿佛是暗地里把责任推给了绿。

"琉晴！回家了，琉晴！"

良多朝躲在房间深处的琉晴喊道。当然，他不想去看庆多的脸，也没出声叫他。不能让他想家。此时如果不表现得冷酷些，自己的"选择"将会彻底土崩瓦解。

琉晴不愿意回去，几乎一直哼哼唧唧地哭个不停，叫人手足无措，雄大和由佳里好不容易说服他，让他坐到了车里。

良多没有进斋木家的家门，也没看到庆多的身影。

良多想，这是庆多在以自己的方式完成"任务"，这才叫扎扎实实的"教养"。

"琉晴。"

良多一边开车，一边对坐在后座的琉晴说话，却没有得到回应。

从后视镜看去，他正沉默地看着窗外的景色，泪水也已经止住。

"你不用马上叫叔叔、阿姨为父亲、母亲。"

良多如是说，从未有过的温柔。琉晴还是没有任何回应。

良多就不再多说，他已经找不到话可以说了。

斋木家发生了一场小骚动。雄大大呼小叫地说庆多失踪了。不过很快美结就在壁橱里找到了已经睡熟的庆多。

因为孩子在壁橱里热得满身大汗，由佳里便马上烧了洗澡水，雄大把孩子们带去洗澡了。

庆多无精打采地泡在浴池里，仿佛电池耗尽的机器人一般面无表情地弓着背。

"庆多？"

雄大一边把大和和美结的身子浸入水中，一边朝一直发呆的庆多喊道。庆多没有回答。

雄大悄悄含了一口泡澡水，一边打着手势，让庆多按一按自己的胸口试试。

庆多满脸不情愿，但还是按照指示按了按雄大的胸口。

瞬间，雄大把含在嘴里的水一口喷在庆多的脸上。

"哈哈哈哈。"

雄大大笑起来。美结和大和也大笑着央求道："我也要按！""还有我！"

雄大一边笑一边看着庆多。庆多只是略微笑了笑。

回到公寓时，琉晴已经在后座上完全睡熟了。时间已经接近十一点。

良多把琉晴抱进房间，让他睡在床上。

哭着迎出来的绿不停地向良多道歉。

看着她这副模样，良多为自己对斋木夫妇说的话感到羞愧。说什么"我会努力试试的"，有时明明无事可做，却周六、周日整日躲在书房里假装自己在工作，特别是琉晴"捣乱"的时候。一旦处理不好，就把责任都推给绿。然后在心中大骂斋木家，究竟是怎么教养孩子的。表现好的地方都归功于"血缘"，看不顺眼的地方都是"教养"不善之过，这副嘴脸酷似父亲良辅。对自己不利的事情就通通推给别人，这与他深恶痛绝的父亲如出一辙。

而一边哭一边道歉的绿的身影则和信子重叠到一起。于是，他想起了在那个昏暗的公寓前一次又一次道歉的护士祥子。

"不要道歉了，不是你的错。"

良多对绿说。那声音宛如正在向上帝忏悔的人一般虔诚。

"是我的错。"

听到良多的话，绿反复打量着丈夫的脸。

良多没有回应绿的视线，而是盯着琉晴熟睡的脸庞。

绿把手放在琉晴的头上，一边温柔地抚摸着他的头，一边闭上了眼睛。

"这么摸着，就跟你是一样的。"

这是迄今为止绿从没对良多说起的话。

良多盯着绿的手，缓缓地用沙哑的声音说道：

"我也离家出走过，想要见母亲……"

绿屏住了呼吸。这些事她从没听良多说起过。良多原本就不愿主动提起继母和父亲的事，自己也是在结婚之后才得知信子是继母的事。而关于亲生母亲的事则从未听他提起，甚至从未透露过对方是个怎样的人。

"那时，我被父亲带了回去。"

良多的脸有些扭曲。绿想他这是要哭了吗？绿从未见过良多哭泣的样子。

良多并没有哭。

他只是回想起许多事。被带回去的年幼的良多，被逼着跪在信子面前，父亲一遍又一遍地扇他的耳光，嘶吼着"快叫母亲"。

信子一边哭着一边阻止父亲，但父亲一把将信子推开，疯子一般不停地扇儿子耳光。

但是，他在心里偷偷发誓，绝对不要哭，绝对不能对父亲言听计从。然后，他将这一点坚持到了今天。

但这信念开始动摇了。三十年时光荏苒，这信念正在以一种良多未曾想象过的方式动摇着。

12

在宇都宫的技术研究所，盂兰盆节休假可以各自安排，良多知道这个消息是在琉晴离家出走的第二周。良多已经不记得盂兰盆节可以放假休息这件事，已经好几年没有计划过盂兰盆节的活动了。不过，今后想怎么休假就怎么休假。积攒至今的带薪年假再加上特别休假，足以去海外度上两三个月的长假了吧。

不过要跟其他部门协调，良多因为申请提晚了就被总务部半强制性地给定下了盂兰盆的休假日期。

八月二十三日至二十七日，中间夹着周六和周日。

良多通知了绿，绿说没有什么特别想去的地方。但琉晴似乎想去露营，而且还要撑开帐篷，睡在睡袋里的那种。

　　良多闲得发慌，便用公司的电脑检索起露营场地来。可惜附近设施齐全的露营场地基本都满员了，看来人气很高。稍微走远一些倒是还有空位，但良多的车又装不下正经的露营设备。也有些场地，可以空着手出门，到了当地再租用全套露营用品，不过良多还是不喜欢这种图省事的方案。

　　之后他又浏览了一会儿有关露营的网站，最终决定这次暂且放一放。还是先把装备配齐再说吧，这倒着实是件有趣的事，把这个作为医院赔偿金的用途倒也不坏。

　　所以当天，良多兴致很高地在网上买了五人用的帐篷、折叠椅、钓竿和睡袋。

　　最终，盂兰盆节他们哪里也没去。不过第一天，琉晴想去看以怪物为主人公的外国动画片的续集，所以三个人一起去看了。良多已经记不清最后一次在电影院看电影是什么时候了，印象中似乎要追溯到学生时代了。本来以为是给儿童看的电影，结果良多不仅乐得笑出了声，还沉迷剧情之中，对主人公绿色小怪物动了感情。

　　良多实在是太喜欢这个作品了，便在回家的路上把这个动画片的系列光盘依次都买了个遍。对此，琉晴狂喜不已。这一天，一家三口就在兴奋的状态下沉醉在这部动画片中。

这恐怕是琉晴到这个家以来，第一次开心度过的时光。

盂兰盆节的第二天天气转好了，从一早开始他们便忙着洗衣服和大扫除。这时有快递到了，宅急送的工作人员搬进来的那个巨大的货物正是良多在网上订购的帐篷和椅子。琉晴又一次大喜过望。不过也不能在这附近搭帐篷露营。

于是，绿提出"不如今天就在家里露营吧"。在家里大声嬉闹，在阳台上钓鱼，在家里搭帐篷，三人一起在帐篷里睡觉。

不过绿坚持在此之前要把衣服晒好，把卫生打扫好。绿调皮地询问道："能不能给我帮把手呢？"琉晴大声地回答道："好的！"

当然，琉晴既没有帮忙洗衣服，也没有帮忙打扫卫生。他手持心爱的玩具枪，偷偷地潜伏着靠近正在卧室用吸尘器吸地的绿，想要从背后瞄准射击。不过他这偷偷摸摸的样子全都映进了衣柜的镜子里，从绿的角度看得一清二楚。

绿悄悄拿起吸尘器的吸嘴。

绿一边嚷嚷着"看我绝地反击"，一边猛地回过头朝琉晴射击。

"叭叭叭叭叭！"

琉晴大吃一惊，但很快就开始回击。

"乓！乓！"

绿一边和琉晴互相射击，一边心有感悟。琉晴还小，与庆多一样是个孩子，他只是比庆多要强那么一些罢了。现在她为自己曾以为琉晴是故意捣乱好让她生厌而感到羞愧。

良多待在书房里，倒不是又在逃避。他正在看网上的演示动画，他发现只看附带的说明书，还是不大明白要怎么搭好帐篷。

外面传来绿和琉晴的声音，看来是在玩手枪游戏。

"被干掉了！"

传来绿扑通倒地的声音。良多苦笑着，这还真是演得热火朝天啊。

"下一个，是父亲。"

是琉晴的声音。这是琉晴第一次叫良多"父亲"。

良多却没时间在感伤中沉醉。书房的门把手在慢慢转动。

良多四处打量房间，想要寻找一个能当枪的东西，尺子、立体音响的遥控……

很快，良多行动了。

他从支架上取下吉他，单膝跪地对着门口瞄准。

门慢慢打开，琉晴出现在门口。

"乓！"

良多用吉他枪击中了琉晴。

"Oh,my gad（god）！"

琉晴剧痛着全身扭动，倒在地上。

"小琉、小琉，没事吧？振作点！"

绿拼命地想要抱起琉晴。这是绿第一次叫"小琉"，而琉晴
并没有问"为什么"。

琉晴爬起来后，立即朝良多开枪。

"乓！"

"啊——"

良多也发出巨大的扑通声，倒在地上，空荡荡的椅子兀自打
着转，简直就如西部片中对决场面一般。良多也是倾情出演。

"孩子他爸，振作点！"

这回绿又想助良多一臂之力。真是毫无节操的枪手啊。

然而，这竟是个陷阱。绿和琉晴一靠近良多，便骑在良多身
上，开始挠起他的痒痒来。

"呜哇，住手！"

良多大声喊叫着，扭动着身子拼死抵抗。然而绿和琉晴却丝
毫不肯手下留情。

阳台钓鱼本应该是并排放上三把折叠椅，共享垂钓之乐，但
琉晴拿着钓鱼竿朝良多砍来。于是一场武打剧又开演了。

绿也加入了战斗，最后良多依旧沦落到被绿和琉晴挠痒痒的

下场。

实际操作起来发现搭帐篷并不是太复杂，但若要一个人在起风的户外搭个帐篷，可能要花上不少时间。

一家三口花了大约二十分钟才搭好帐篷。网上的宣传语自夸"十分钟搭建 OK"，算起来他们多花了一倍的时间。

睡袋还没有订购，于是绿便把给客人用的被褥铺在帐篷里。

三人一起躺在帐篷里。由于帐篷是五人用的，所以十分宽敞。

一睡到帐篷里，便不可思议地产生了一种融为一体的感觉。

他们一边透过窗户遥望天空，一边看着晚霞逐渐变成黑夜。琉晴十分难得地说了许多话，说起坐电车去前桥的事，那简直就是一场大冒险。他说起自己几乎是匍匐前进着通过新干线检票口时的惊险刺激，说起为了不让车长发现，从一个厕所逃向另一个厕所。

但他绝口不提雄大和由佳里。

那天夜里，东京的天空中难得地出现了美丽的星辰。三人就这样躺在帐篷里眺望着星空。

"知道星座吗？天蝎座、水瓶座……"

绿列举着星座的名字，却并不知道哪片星空有哪些星辰。

"有没有饺子座？"

琉晴说着，逗得良多和绿哈哈大笑。

"啊！"

绿突然大声叫起来：

"流星！快许愿。"

三人闭上眼睛开始许愿。琉晴格外专心地双手合十许着愿。

"小琉，许了什么愿呢？"

琉晴一脸的难为情。

"告诉我嘛。"

良多笑着说道。

于是琉晴小声地说：

"我想回到爸爸和妈妈的身边……"

良多和绿注视着琉晴的脸。

琉晴用手臂挡住脸。

"对不起。"

琉晴的声音在颤抖。他在哭，为了不被看见，所以用手臂遮住脸。

大概已经忍耐到极限了吧，为了不叫人看见自己的眼泪。

良多抚摸着琉晴的脑袋。

"没关系的，已经够了。"

琉晴静静地抽噎着。

琉晴一边哭着，一边在帐篷里睡着了。良多和绿一直轻柔抚摸着琉晴的身体和脑袋，直到他入睡。

琉晴一睡着，绿便从帐篷里爬出来，去了阳台。

良多也跟了过去。

"怎么了？"

良多出声问道。

绿在哭泣。

"琉晴越来越可爱了。"

良多也有同感。

"是吗，那就，别哭了。"

良多这么一说，绿却摇了摇头。

"我觉得对不起庆多，好像背叛了那孩子。庆多现在在那边……"

绿呜咽着说不出话来。但她要说的话，不用说出口良多也能明白。

良多把手放在绿的背上，轻柔地安抚着。

"已经够了。"他在心中一遍又一遍地重复着对琉晴说的那句话。

但是，究竟要怎么做才好？什么"已经够了"？该让什么就此结束呢？

良多一边自问自答，一边摩挲着妻子的后背。

第二天一早，良多比其他人都更早醒来，他从房间里拿出了照相机。

他将在帐篷里头碰着头沉睡的绿和琉晴收进镜头。

由于清晨有阳光照进来，担心照片逆光，良多便坐在沙发上点开显示屏翻看确认。

这么比着一看，琉晴有些地方也像绿。这也是理所当然的，毕竟是两个人的遗传基因混合后的结晶。

良多在帐篷里几乎一夜未眠，一直在思考着究竟要怎么办才好，却始终没能寻得答案。

他用照相机的显示屏翻看着以前的照片。差不多该把照片存到电脑里了。

忽然，良多的手顿住了。那是最后一天在河滩边，斋木家和野野宫家一起拍的合影。庆多站在绿的跟前。一直觉得不像自己的庆多，此时看起来却与自己有些相像。那是因为良多和庆多都以相同的角度微微偏着头。

这是……

一定是六年来一起生活的点滴之间，庆多越来越像良多了。他不记得自己有教过他什么，但是，不知不觉间，他喜欢微微偏着头的习惯传染给了庆多。

再看看前面一张。

这是在"旋转丛林"那里庆多给良多拍的照片，有点虚

了。是用那双小小的手按下的快门。光想到这个良多就觉得胸
口发痛。

又一张。照片是在"旋转丛林"里比着 V 字的庆多。

再一张。

照片里映出来的是一双赤足的脚底板,在脚的另一头隐约映
出一张脸,是良多。似乎是拍下了在沙发上睡觉的良多的脚。再
一张,是在书房伏案工作的良多的背影。光线不足,照片有些昏
暗。再一张,是坐在沙发上看资料的良多的背影。

在床上睡觉的良多的脸。洗脸台前穿着睡衣刷牙的良多的背
影,大概是从客厅拍的。

在床上熟睡的良多和绿……

是庆多拍的。

是庆多为了不让良多发现而偷偷拍下的。

这照相机里留存的是"庆多记忆中的爸爸"。

良多心痛得仿佛胸口要裂开一般。

"早餐怎么办?"

绿也起床了,从帐篷里只露出一个脑袋,朝着坐在沙发的良
多问道。

良多看起来像在哭泣。

"吃早餐吧。"

绿温柔地笑着说。

良多再也不能掩饰自己的心情，眼泪溢出眼眶，滑过脸颊，掉落在地。

眼泪已经止不住了。

最终，他们把琉晴叫起来后，没吃早餐就直接坐车出门了。他们没有心情吃早餐。琉晴一得知要去的地方，也马上穿好衣服，从玄关跑了出去。

已经什么都不去想了，只是开着车一路朝前桥飞驰而去。以后的事已经无所谓了，现在他只想见庆多。

把车停在茑屋商店门前，良多、绿和琉晴一起打开了商店的门。

时间才刚刚过九点。

雄大就坐在商店里，似乎正在桌子前修理着什么。他的旁边是庆多。庆多站在一旁，注视着雄大修理的手法。

"哦哦，欢迎光临。"

雄大看见良多等人，完全没有吃惊的样子。明明没有联系就忽然来访，他却宛如一切都在情理之中一般地笑脸相迎。绿猛地意识到，或许雄大早就知道会变成这样。

"灯泡坏了吗？要个几瓦的呀？"

雄大打趣着笑道。

"我回来了。"

琉晴说着，声音仿佛要哭出来。

"欢迎回家。"

雄大依旧是满脸的笑容回答道。

听到琉晴的声音，店里传来啪啪的脚步声，由佳里跑了出来。

"琉，怎么了？"

由佳里赤着脚，飞奔出来，一把抱住琉晴。

"庆多。"

良多小心翼翼地唤了一声。

庆多却皱巴着小脸跑了出去，仿佛要从良多等人身边逃走般，逃向了商店的后面。

"庆多！"

良多和绿同时叫道。良多朝庆多追了过去。

庆多穿过后院，朝大马路跑去。良多在他的身后追赶。

庆多跑到有拱廊的商店街就跑不动了，大概是累了。但良多没有紧追上去，他保持着些许距离，跟在庆多的身后。

庆多一次都没有回头。良多深刻地感受着庆多的愤怒。

穿过拱廊就是樱花步道，在道路正中央种植着的大棵樱花树，形成了一条中央分离带。

庆多在分离带的右侧走。良多在左侧跟他说话。

"庆多，对不起。爸爸想见庆多，所以违背了约定来见你。"

可是，庆多却微微垂下头看着地面，板着脸继续朝前走去。

"爸爸已经不是爸爸了。"

庆多的话让良多心痛得无法呼吸。这数月来的痛苦，不，更早以前开始的痛苦尽在这一言之中。

"是啊。但是，这六年来……这六年来我一直是爸爸。虽然很不称职，但我还是爸爸呀。"

庆多依旧低着头走着，没有看良多一眼。

"玫瑰花，被我弄丢了，对不起。"

庆多对这句话有了略微的反应。这就够了。庆多用折纸做的玫瑰花，被扔在了某处，而找到它的是庆多吧。

他该有多伤心啊，眼见着为父亲做的玫瑰花就像垃圾一样被扔在地上。

"对不起，对不起……"

庆多还是低垂着头，但是走路的速度稍稍慢了下来。

"照相机……你用那个照相机给我拍了许多照片吧。"

那些照片是庆多送给良多的礼物。

良多一边拼命地强忍着眼泪不要流出来，一边继续说道：

"庆多，还有钢琴，你那么拼命地努力，我却只会责骂你，对不起。因为明明爸爸也是在还是孩子的时候，就中途放弃了。"

　　庆多还是不肯看过来。要道歉的事还有许多许多，多到数也数不清。但是就算把这些全都道歉一番，庆多大概也不会原谅自己吧。

　　良多不顾形象地大喊起来：

　　"庆多，任务已经结束了。"

　　听到良多的这句话，庆多飞快地看了良多一眼。

　　樱花步道在此处到了尽头。

　　良多绕到了庆多的跟前。庆多还想继续走。

　　良多把手放在庆多的头上。

　　庆多低着头停住脚步。

　　迄今为止，良多拥抱过庆多许多次，数不清有多少次。还是婴儿的时候也好，会走路之后也好，只要庆多央求，他都会一把将他抱起。

　　良多屈膝蹲在庆多面前。

　　他从未因自己想要传达什么感情而拥抱庆多。这是第一次，良多想要通过拥抱把无法用言语表达的情感传达给庆多。

良多拥抱了庆多那小小的、纤细的身体，用尽全力地抱紧他。

庆多的身体绷得僵硬，就像一根小小的木棍。

良多只是抱着，一直抱着，他想要永远抱下去。

他感觉到庆多的身体渐渐放松下来。

庆多的小手温柔地、轻轻地环住良多的背。

良多摩挲着庆多的背。他一遍又一遍地用力地摩挲着儿子的背，仿佛想将更多的思念传达给他。

"来了！"

琉晴在茑屋商店的门口大叫着奔跑起来。绿紧跟在他身后。

两人奔跑的前方是良多和庆多。良多把手环在庆多的肩上，两人并肩朝商店走来。

"欢迎回家。"

绿的眼里饱含着泪水，笑着对庆多说。

庆多满脸笑容。

商店前，雄大、由佳里、大和和美结在等着他们。

"进去坐坐？"

雄大指了指家里。

"好的。"

良多行了一礼，和庆多、绿一起朝店里走去。

良多一边反击着过来嬉闹的大和和美结，一边思索着。

要是大家一起去露营应该会很有趣吧。为此首先得把车换了，最好是可乘坐八人，两家全部能坐上车，能装很多行李。

再买一顶五人用的帐篷……不对，买一个最大的帐篷。两个小帐篷就不好玩了。有可以睡十二个人的大帐篷，然后所有人一起席地而眠，一定很棒。

不仅是露营，之后还要更多地增加两个家庭的互动。

但是，要是让他们来东京玩的话，那个公寓连坐都坐不下，更不要想全员住下留宿。

这么一想，一直十分中意的公寓也变得不那么闪闪发亮。

良多想到了绿的老家，那个里子嚷嚷着打扫卫生十分辛苦的大宅子。

良多嘲笑着这个天马行空胡思乱想的自己。

但是，这些念头却萦绕在良多的心头，挥之不去。

"我说，你知道 Spider-Man 是蜘蛛吗？"

庆多问良多。

"不，我不知道呢。"

良多装出吃惊的样子。

听到这个，雄大哈哈大笑起来。

还有孩子们的笑声。

已经分不清谁是谁的儿子，谁又是谁的父亲了……

（全文完）

本故事纯属虚构。如有重名，其与实际存在的人物、团体等没有任何关联。

图书在版编目（CIP）数据

如父如子 /（日）是枝裕和，（日）佐野晶著；丹勇译 . — 长沙：湖南文艺出版社，2018.3
ISBN 978-7-5404-8465-1

Ⅰ . ①如… Ⅱ . ①是… ②佐… ③丹… Ⅲ . ①长篇小说—日本—现代
Ⅳ . ① I313.45

中国版本图书馆 CIP 数据核字（2017）第 320641 号

著作权合同登记号：图字 18-2017-246

Soshite Chichi Ni Naru
Copyright © 2013 by Hirokazu Koreeda, Akira Sano
©2018 フジテレビジョン　アミューズ　ギャガ
Original Japanese edition published by Takarajimasha, Inc.
Simplified Chinese translation rights arranged with Takarajimasha, Inc.
Simplified Chinese translation rights © 2018 by 中南博集天卷文化传媒有限公司

上架建议：外国文学

RU FU RU ZI
如父如子

著　　者：[日] 是枝裕和　[日] 佐野晶
译　　者：丹　勇
出 版 人：曾赛丰
责任编辑：薛　健　刘诗哲
监　　制：蔡明菲　邢越超
策划编辑：张思北　闫　雪
特约编辑：朱冰芝
版权支持：孙宇航
营销支持：李　群　张锦涵　姚长杰
版式设计：李　洁
封面设计：尚燕平
出版发行：湖南文艺出版社
　　　　　（长沙市雨花区东二环一段 508 号　邮编：410014）
网　　址：www.hnwy.net
印　　刷：三河市兴博印务有限公司
经　　销：新华书店
开　　本：880mm×1230mm　1/32
字　　数：172 千字
印　　张：9.5
版　　次：2018 年 3 月第 1 版
印　　次：2019 年 6 月第 3 次印刷
书　　号：ISBN 978-7-5404-8465-1
定　　价：49.80 元

若有质量问题，请致电质量监督电话：010-59096394
团购电话：010-59320018